Le Petit Douillet

DU MÊME AUTEUR

CHEZ LE MÊME ÉDITEUR
Camy risque tout, Boréal, 1992

CHEZ D'AUTRES ÉDITEURS
Par la bave de mon crapeau, Ovale, 1984
(épuisé)
Les Nuits d'Arthur, Ovale, 1986

Danielle Marcotte

Le Petit Douillet

roman

Boréal

Cet ouvrage a été publié avec l'appui du Programme
de subvention globale du Conseil des Arts du Canada.

Maquette de la couverture: Rémy Simard
Illustrations: Stéphane Jorisch

© Les Éditions du Boréal
Dépôt légal: 1er trimestre 1994
Bibliothèque nationale du Québec

Diffusion au Canada: Dimedia
Distribution en Europe: Les Éditions du Seuil

Données de catalogage avant publication (Canada)
Marcotte, Danielle

Le Petit Douillet

(Boréal junior; 33)

ISBN 2-89052-610-0

I. Jorisch, Stéphane. II. Titre. III. Collection.

PS8576.A635P47 1994   jC843'.34   C94-940346-6
PS9576.A635P47 1994
PZ23.M37Pe 1994

À mon père,
cet ogre tant aimé

Remerciements

Petit Douillet et Cybèle ne sont pas nés de ma seule imagination. Linda Théroux et moi avons comaterné ces personnages durant tout l'été de 1992, dans l'odeur du bois de patio et de l'herbe mouillée. Mes sincères remerciements à Linda donc, sans la douce folie de laquelle j'aurais eu du mal à enfanter ces personnages. Pour sa générosité et sa confiance aussi: elle a remis Petit Douillet et Cybèle à mes soins, et m'a autorisée à dévier considérablement de l'histoire que nous leur avions ensemble inventée.

Merci à ses filles également, Karine et Julie Saint-Germain, pour leur participation «trippative» au remue-méninge qui nous a permis de trouver des noms à nos personnages. Je leur dois notamment ce «Petit Douillet», nom auquel je suis tant attachée et qui m'a littéralement portée tout au long de mon travail d'écriture.

Chapitre 1

Ce n'est pas toujours drôle d'être le fils de son père

Petit Douillet est très inquiet. Depuis quelque temps, son père parle sans arrêt de l'envoyer dans la forêt.

— C'est pour t'apprendre à devenir un homme, mon fils.

Les parents sont bien ennuyeux, songe Petit Douillet en se berçant dans son hamac. Ils sont toujours là à nous dire quoi faire. Ah! S'ils pouvaient nous ficher un peu la paix!

En fait, Petit Douillet n'a aucune envie de devenir un homme. Il sait trop bien ce que cela veut dire «devenir un homme». Cela signifie qu'on doit apprendre à se battre contre les ogres et les géants. Quel enfant le moindrement intelligent aurait envie d'affronter des ogres et des géants? C'est une idée de parents, ça!

Ce que Petit Douillet désire, lui, c'est de continuer à jouer et à rêver en paix. Rêver, c'est l'activité préférée de Petit Douillet. S'il le pouvait, il rêverait du matin au soir et du soir au matin.

Mais voilà, son père, le Petit Poucet, ne l'entend pas ainsi. Quand il surprend Petit Douillet dans son hamac, il s'écrie aussitôt:

— Encore couché, paresseux? Moi, à ton âge, je ramassais des branchages pour faire le feu.

Quand Poucet aperçoit Petit Douillet à moitié endormi sur sa canne à pêche, il reproche:

— Tu rêves quand ça mord à ta ligne? Moi, à ton âge, je rapportais du poisson pour le dîner. Pas de poisson... pas de dîner! C'était comme ça de mon temps.

Lorsque Petit Douillet regarde la télé, Poucet tempête:

— De mon temps, on ne restait pas

affalé devant la télé! Les ogres et les géants, on les affrontait soi-même!

Poucet ne pense plus à autre chose. Courir les bois devient une idée fixe! Petit Douillet devient de plus en plus inquiet. Il a grand-peur. Il ne veut pas aller dans les bois. C'est trop risqué, la forêt. Il craint de s'y perdre pour toujours. Et puis la forêt est remplie de créatures méchantes. S'il n'y avait que les ogres et les géants, passe encore! Mais il y a aussi des sorcières, des méchants loups, des esprits malins... Ah non! Il préfère cent fois rêver. Au moins, dans les rêves, quand on se fait manger, on se réveille avec tous ses morceaux!

—Ah! soupire-t-il dans son hamac. Pourquoi faut-il grandir?

* * *

Un soir, Petit Douillet ne parvient pas à s'endormir. Il craint de faire des cauchemars à propos de méchants loups. Méfiant, il se concentre sur les ombres qui glissent sur les murs de sa chambre. Il est aux aguets, tendant l'oreille de façon à percevoir le moindre bruit suspect. Mais au lieu de pas de loup autour de la maison, c'est la voix de ses parents qu'il surprend.

Petit Douillet a l'impression qu'ils se disputent. Il sait que ses parents n'aiment pas ce mot. Ils disent tout le temps: «Nous ne nous disputons pas, nous *discutons*. D'ailleurs, ça ne te regarde pas. Va dans ta chambre.» Les «discussions» de parents énervent beaucoup Petit Douillet. Il se sent très inquiet quand ils parlent fort.

Croyant avoir entendu prononcer son nom, Petit Douillet se lève pour écouter à la porte de la chambre de ses parents.

— Ma femme, c'est décidé. Lorsque j'irai à la Rivière-aux-Mystères pour la pêche aux poissons d'argent, j'abandonnerai notre fils dans la forêt.

— Tu n'y songes pas, mon homme! proteste la mère de Petit Douillet. As-tu oublié que l'ogre habite toujours la forêt? Il a failli te dévorer quand tu étais petit. À cause de toi, il a égorgé

ses filles. Il n'attend qu'une occasion pour se venger. Et toi, tu voudrais lui envoyer ton fils? Je ne peux pas y croire!

— Si ce n'est l'ogre, Petit Douillet rencontrera le loup ou quelque sorcière, je le sais.

— Un jour, peut-être, mais pas encore.

— Notre fils est en âge de se défendre. Il est grand temps qu'on fasse de lui un homme. Il est toujours fourré dans tes jupons à rêvasser. Ce n'est pas bon pour un garçon, ça.

— Il est si petit… Donne-lui encore un an au moins!

— Pas question. J'ai déjà trop attendu. Si je t'écoute, il se comportera encore en bébé à l'âge où les autres garçons ont un métier, une femme et des enfants.

Tout malheureux, Petit Douillet retourne dans son lit. La pêche aux poissons d'argent! Depuis des années, il rêve de ce voyage *entre hommes* à la Rivière-aux-Mystères. Et voilà que le jour où son père se décide enfin à l'y emmener, c'est pour l'égarer dans les bois! Petit Douillet ne sait plus que penser. Dans des moments comme celui-ci, il déteste son père.

* * *

Pendant les jours qui suivent, Petit Douillet ne sait plus quoi faire de sa peine. Il doit trouver un moyen pour que son père change d'idée, mais il ne trouve aucune solution valable. Il se sent bien seul, tout à fait abandonné à son sort. Personne ne s'intéresse donc à lui? Personne ne viendra le sauver?

La veille du voyage de pêche aux poissons d'argent, sa mère lui confie en secret un sac de cailloux blancs.

— Sème-les derrière toi sur le chemin de la Rivière-aux-Mystères. S'il t'arrive quelque chose, tu pourras toujours retrouver ton chemin grâce à ces cailloux blancs.

Petit Douillet a entendu mille fois l'histoire de son père. Il sait que les cailloux blancs ont déjà sauvé la vie du Petit Poucet et de ses frères. Lui qui connaît les projets de son père n'a pas besoin d'un dessin. Il remercie sa mère et lui promet d'utiliser les cailloux. Il les cache soigneusement dans la poche de sa salopette.

Ce soir-là, dans ses rêves, Petit Douillet revoit l'histoire que son père lui a contée mille fois. Dans ce rêve, Petit Poucet est encore un enfant. Son père veut l'égarer dans la forêt avec ses frères, car il est trop pauvre et ne parvient plus à les nourrir. La première fois, Poucet prévoit le coup. Il a apporté des cailloux blancs qu'il jette derrière lui tandis que son père, ses frères et lui s'enfoncent dans la forêt. Grâce à ces cailloux, Petit Poucet retrouve son chemin et ramène ses frères sains et saufs à la maison. Mais la seconde fois, il n'a pas de cailloux blancs. Les miettes de pain qu'il a semées à leur place sont dévorées par les oiseaux et Petit Poucet ne peut plus retrouver son chemin. Il grimpe dans un arbre pour s'orienter. Au loin, il aperçoit une lumière. C'est la maison de l'ogre...

Chapitre 2

Les poissons d'argent de la Rivière-aux-Mystères

Sur le sentier qui conduit à la Rivière-aux-Mystères, Petit Douillet et Poucet avancent à grands pas. C'est que Poucet a enfilé ses bottes de sept lieues, les fameuses bottes qu'il a prises à l'ogre autrefois. Ces bottes permettent de franchir une trentaine de kilomètres en une seule enjambée! Cela va si vite que Petit Douillet n'a même pas le temps d'observer le paysage et de fixer des points de repère.

Petit Douillet n'avait pas prévu cela. À califourchon sur les épaules de son père, baissant la tête pour ne pas s'accrocher dans les branches, Petit Douillet laisse tomber ses cailloux n'importe comment. À la vitesse où ils filent, son père et lui, il n'a pas le temps de voir où tombent les cailloux. Pourvu qu'il puisse les retrouver plus tard!

Tout à coup, la Rivière-aux-Mystères apparaît devant eux. Elle est exactement telle que Petit Douillet l'avait imaginée. C'est une rivière étroite, pleine de replis et de courbes. Les eaux sont à peu près calmes sur les bords, mais elles culbutent à gros bouillons au centre. La rivière se faufile entre des arbres si enserrés par endroits qu'ils dressent une muraille pratiquement infranchissable.

Cependant, là où Poucet s'arrête, c'est un peu différent. Il dépose Petit Douillet sur une plage de sable fin. La plage est petite. Elle forme un minuscule croissant blanc au bord de la rivière. De grands arbres ploient leurs branches au-dessus de l'eau et procurent une ombre bienfaisante. Petit Douillet voit déjà son hamac sous ces branchages. Il s'imagine en train de se bercer dans le roulement des bouillons

et le gazouillis des oiseaux. Mais son père interrompt tout de suite ses rêveries. Il lui tend des cuissardes et une épuisette.

— Enfile ces bottes et tiens-toi prêt, mon fils. La saison de la pêche aux poissons d'argent ouvre dans quelques minutes.

Petit Douillet examine son père avec curiosité. Debout dans l'eau avec ses bottes qui montent jusqu'à mi-cuisse, Poucet se tient aux aguets, sa montre à chaînette dans une main, son épuisette dans l'autre. Il semble tout excité. On dirait un bébé devant son premier arbre de Noël, songe Petit Douillet. C'est la première fois qu'il voit son père dans cet état. C'est la pêche aux poissons d'argent qui le rend joyeux comme ça, ou l'idée de m'abandonner dans la forêt? se demande Petit Douillet.

— ... trois, deux, un! Top! C'est parti! Vite, mon gars. Ne perdons pas une minute!

D'un geste vif, Poucet a remis sa montre dans son gousset. Il avance dans la rivière en essayant de ne pas brouiller le fond. Le bras tendu, il tient l'épuisette au-dessus de l'eau, prêt à l'abattre sur le moindre poisson d'argent. Petit Douillet, toujours en retard, enfile tranquillement ses cuissardes. Ces longues bottes lui couvrent entièrement les cuisses. Il ramasse son épuisette et avance en faisant flic-flac dans l'eau.

—Ah! L'ouverture de la pêche aux poissons d'argent! s'écrie son père. Quel plaisir! Je ne voudrais pas manquer ça pour tout l'or au monde.

Petit Douillet regarde le fond de l'eau comme le fait son père. Il ne voit rien. L'eau est complètement brouillée.

—Tu ne dois pas bouger comme ça, explique Poucet. Il faut laisser le temps au sable de se poser. Si tu te tiens tranquille, l'eau va s'éclaircir dans quelques secondes. Là... Qu'est-ce que je te disais? Maintenant, si un poisson passe, hop! tu le ramasses avec ton épuisette. C'est tout simple!

C'est si simple en effet, songe Petit Douillet, que c'en est ridicule. Rester planté là à attendre qu'un poisson passe pour l'attraper dans son filet... C'est ça qu'on appelle du sport?

Au bout de quinze minutes, Petit Douillet n'y tient plus. Il a le bras engourdi et les jambes qui lui démangent. Il voudrait bien bouger, mais son père le lui interdit. Il voudrait bien parler, mais il ne faut pas effrayer les poissons. Il voudrait bien manger, mais c'est à midi justement que les poissons d'argent sont le plus faciles à attraper. Ah! si seulement on pouvait lancer la ligne, tourner le moulinet, ramer, déplacer une chaloupe… Mais rester là, sans bouger, à attendre que le poisson nous passe entre les jambes, c'est trop bête!

— C'est vraiment une pêche idiote, déclare Petit Douillet.

— Ça demande de la patience, c'est certain, répond Poucet.

Au bout de trente minutes, Petit Douillet fait des vœux pour que se termine son supplice. «Si un poisson d'argent saute dans mon épuisette d'ici une minute, je promets de ranger chaque jour ma chambre.» Puis, il compte jusqu'à soixante. Au bout d'une minute, comme rien ne s'est passé, il s'engage un peu plus. «Si un poisson d'argent saute dans mon épuisette d'ici deux minutes, je promets de ramasser les fagots de bois pour le feu.» Puis il compte deux fois jusqu'à soixante et, comme rien ne se produit, il force encore la dose. «Si un poisson d'argent saute dans mon épuisette d'ici trois minutes, je promets d'apprendre à lire.» Petit Douillet compte trois fois jusqu'à soixante. Naturellement, aucun poisson ne saute dans son filet.

— J'espère au moins qu'ils sont bons à manger, tes poissons d'argent! lance Petit Douillet, affamé.

— Ah! non, on ne les mange pas! Quand on a le bonheur d'en attraper un, on le rejette à l'eau, répond son père.

— Quoi? Tu veux dire qu'on pêche pour rien?

Petit Douillet est indigné. Poucet, lui, sourit tranquillement de son côté et continue à pêcher.

Au bout d'une heure, Petit Douillet est sur le point de s'évanouir. Dans sa tête, il rouspète: «J'ai chaud, et je n'ai pas le droit de nager. J'ai soif au milieu d'une rivière, et je n'ai pas le droit de boire. J'ai faim, et je ne peux pas manger.» Il jette un coup d'œil à son père. Poucet a encore des feux d'artifice dans les yeux tellement il a l'air heureux. Tout ça pour des poissons qu'on rejette à l'eau!

— C'est ça, la pêche aux poissons d'argent? demande Petit Douillet.

— Ce n'est pas ce à quoi tu t'attendais, n'est-ce pas? Tu as l'air déçu.

— Eh bien, franchement... Je ne comprends pas ce qui t'excite. On attend des heures et, si par miracle on attrape un poisson, il faut le rejeter à l'eau!

— Ah! répond Poucet, d'un ton plein de mystère. C'est que tu ne connais pas la légende des poissons d'argent.

— Une légende? Raconte-moi cette légende, au moins.

Poucet regarde sa montre.

— Deux heures! Comme le temps passe vite quand on est à la pêche.

— Tu trouves? se moque Petit Douillet, contrarié de voir son père changer de sujet.

— Il est peu probable que les poissons passent encore à cette heure-ci. Viens, mon garçon. Nous allons manger un peu.

Petit Douillet ne se le fait pas dire deux fois. Il sort de l'eau plus vite qu'il n'y est entré. Il se débarrasse rapidement de ses cuissardes et s'allonge sur le sable, épuisé. Son corps se relâche. Petit Douillet se détend enfin. Quand il ouvre les yeux et aperçoit des nuages traverser le ciel comme de légers voiliers blancs, Petit Douillet se réjouit. Il l'a échappé belle. Heureusement que mes vœux ne se sont pas réalisés! songe-t-il. Il ne se voit pas renoncer à ses heures de rêverie pour ranger sa chambre, ramasser du bois ou apprendre à lire. Pouah!

—Tu devrais m'aider à préparer le feu, mon garçon. Sais-tu seulement choisir les branchages qu'il faut?

—Je suis fatigué, papa. Cette pêche m'a complètement épuisé, tu sais. J'apprendrai à allumer le feu une autre fois.

—Comme tu voudras, lui dit son père.

Tandis que Petit Douillet rêvasse, son père prépare le dîner. Il grille des saucisses qu'il a enfilées sur des ramilles encore vertes.

—Ça ne t'intéresse pas d'apprendre à faire cuire ton repas, mon fils?

—Tu fais ça si bien, toi! Et tu as tellement l'air de t'amuser. Je préfère terminer mon rêve, si ça ne te dérange pas.

Sur une nappe, Poucet pose des crudités, du pain et des fruits. Les saucisses seront bientôt prêtes. Cela sent tellement bon que Petit Douillet sort de ses rêveries.

—Ah! Il était temps, dit-il en acceptant la saucisse que lui tend son père. Je meurs de faim, moi. Pas toi?

—Oui! Mais nous ne pourrions pas manger si je ne m'étais pas donné la peine de ramasser le bois, de préparer le feu, de griller les saucisses, d'étendre la nappe et d'y poser ces victuailles.

—Oh! s'il te plaît, pas de discours aujourd'hui, papa! Tu l'as dit toi-même, c'est une journée exception-nelle. C'est l'ouverture de la pêche aux poissons d'argent.

—À propos, tu veux toujours la connaître, cette légende?

— La légende des poissons d'argent? Je croyais que tu avais oublié. Tu parles, si je veux la connaître!

— Cette légende prétend que celui qui parvient à attraper un poisson d'argent peut faire un vœu. Pour que son vœu se réalise, cette personne doit cependant rejeter le poisson à l'eau. Si le poisson d'argent sort trois fois la tête de l'eau avant de plonger vers les bas-fonds, le vœu du pêcheur se réalisera. C'est pour cela qu'on pêche le poisson d'argent à l'épuisette, tu comprends? Pour ne pas lui faire de mal. Seulement, les poissons d'argent sont très rares et difficiles à attraper. Le meilleur moment pour les surprendre, c'est au gros soleil de midi. Quand le soleil tombe droit sur la Rivière-aux-Mystères, ses rayons miroitent sur les écailles des poissons d'argent. On dirait alors des petites étoiles au fond de l'eau.

Petit Douillet regarde la Rivière-aux-Mystères. Il se voit ramasser un poisson d'argent dans son épuisette. Il sait exactement quel vœu il ferait: la création d'un pays de rêve. Un pays où on laisserait les enfants jouer toute leur vie. Un pays où on ne leur demanderait pas de grandir, ni d'affronter des ogres et des géants. Il s'imagine rejeter le poisson à l'eau et le voir par trois fois sortir sa tête de l'eau avant de replonger. Ah! si seulement il pouvait attraper un poisson d'argent!

* * *

Après le dîner, Poucet invite son fils à faire une sieste. Lui aussi, prétend-il, a besoin de se reposer avant le retour. Toutefois, Petit Douillet n'est pas dupe. Il se doute bien que, dès qu'il sera endormi, son père va s'esquiver et l'abandonner dans la forêt. Cependant, à la pensée des cailloux blancs, ses craintes sont vite apaisées. Et puis, il y a toujours la Rivière-aux-Mystères et ses merveilleux poissons d'argent. Si son père l'abandonnait maintenant, il n'aurait qu'à pêcher un poisson d'argent pour rentrer chez lui. Petit Douillet se laisse aller. Il ne résiste pas longtemps à l'envie de rêver.

Chapitre 3

La nuit de la Rivière-aux-Mystères n'est pas pour les petits garçons

À son réveil, comme prévu, Petit Douillet se retrouve seul au campement de la Rivière-aux-Mystères. Son père est parti. Le feu est éteint. À l'horizon, le soleil décline. Il va bientôt faire nuit.

L'épuisette de Petit Douillet repose contre une pierre. Dans le filet se trouve un billet plié. Petit Douillet s'étire. Son père lui a laissé un mot. L'ennui, c'est qu'il ne sait pas lire! Il y a bien des signes sur le papier et Petit Douillet reconnaît la signature de son père. Pendant un moment, il regrette d'avoir refusé d'apprendre à lire. Mais ce n'est pas grave, se dit-il; il aura encore tout le temps d'apprendre une fois rentré chez lui. Pour l'instant, l'important c'est de retrouver la maison avant la nuit. Heureusement qu'il y a les cailloux blancs!

Petit Douillet ramasse son sac à dos et son épuisette. Il quitte la plage et s'enfonce dans le sentier. Il a l'air serein, son pas est léger. Il sifflote en marchant. Il commence même à se dire que c'est agréable de marcher seul dans la forêt. C'est son père qui va être surpris de le voir arriver si vite. Petit Douillet reconnaît évidemment qu'il va mettre un certain temps pour traverser la forêt. Il n'a pas de bottes de sept lieues, lui. Cependant, grâce aux cailloux, il va pouvoir rentrer directement chez lui sans se perdre. Sa mère a eu là une riche idée!

Au bout d'un moment, Petit Douillet ralentit le pas. Quelque chose ne va pas. Il devrait y avoir des cailloux blancs dans le sentier, mais il n'en trouve pas. Il a dû marcher la tête haute, en fredonnant, et il n'a sans doute pas fait assez attention. Il s'agit maintenant de retrouver les cailloux.

Petit Douillet a beau regarder autour de lui, tendre le cou pour tenter de voir plus loin, il n'aperçoit pas les cailloux blancs qu'il a semés en venant. Tout à coup, il a une idée: ils ont dû rouler dans les fougères. Il se met tout de suite à ramper dans les hautes herbes en bordure du chemin. Mais il n'y a pas plus de cailloux blancs dans les fougères que sur le sentier.

—Ah! J'y suis! dit tout haut Petit Douillet. J'ai dû prendre le mauvais sentier. Je n'ai qu'à retourner à la plage et à en choisir un autre.

Aussitôt dit, aussitôt fait. Toutefois, Petit Douillet a beau examiner attentivement les abords de la plage, il ne trouve aucun autre sentier débouchant sur le croissant de la Rivière-aux-Mystères.

Inquiet, Petit Douillet s'assoit sur une pierre plate au bord du feu éteint. Il cherche à comprendre. Ce n'est pas possible! Son père ne peut pas l'avoir abandonné comme ça au beau milieu de la forêt. Il veut sûrement juste lui faire peur. Ah! C'est cela! Il doit s'être caché dans les hautes herbes pour l'observer. Eh bien! son père va voir qu'un Petit Douillet, ça ne se laisse pas impressionner aussi facilement.

Petit Douillet enfile à nouveau ses cuissardes et entre dans l'eau avec son épuisette. Il va continuer à pêcher comme si de rien n'était. On va bien voir qui des deux, du père ou du fils, se fatiguera le premier.

Au bout d'un moment, cependant, Petit Douillet s'inquiète du silence qui règne aux alentours. Il n'a jamais entendu un silence aussi pénétrant. Pourtant, cet après-midi, les cigales stridulaient, les oiseaux chantaient, le vent jouait dans les feuilles. On entendait le clapotis de l'eau dans les cailloux. Et tout à coup, plus rien. Petit Douillet se met à siffloter pour chasser sa peur, mais même sa voix ne semble pas porter. Le soleil se couche lentement sur la Rivière-aux-Mystères. Petit Douillet commence à douter que son père reste caché aussi longtemps.

Il est peut-être vraiment seul finalement. Son père a réussi son coup! Il l'a abandonné pour de vrai dans la forêt!

— Papa! Papa! Es-tu là? Sors de ta cachette, t'es pas drôle!

Petit Douillet appelle, au cas où son père serait caché. Seulement il n'y croit pas. Et les cailloux? Comment se fait-il que les cailloux ne soient plus dans le sentier? Petit Douillet ne connaît même pas le chemin pour rentrer chez lui!

«Il n'y a qu'un seul moyen pour m'en sortir, réfléchit Petit Douillet, c'est d'attraper un poisson d'argent. Avec un poisson d'argent, je pourrai faire le vœu de rentrer chez moi.»

Mais le soleil est bas. On ne voit plus les écailles des poissons d'argent briller dans l'eau à cette heure-là. Pris de panique, Petit Douillet sort de la rivière et s'assoit au bord du feu éteint. Il a froid. Il voudrait bien se sécher, se réchauffer. Il songe à la nuit qui arrive. Comment va-t-il se débrouiller tout seul dans la nuit? Il n'a jamais dormi hors de chez lui. Et de quoi va-t-il se nourrir ce soir? Est-il condamné à mourir de faim au bord de la Rivière-aux-Mystères? Il songe à la bonne soupe aux légumes de sa mère. Sa mère! Comment a-t-elle pu permettre qu'on l'abandonne dans la forêt?

Les larmes aux yeux, Petit Douillet fouille dans son sac. Il y trouve un sandwich au fromage, une poignée de noix, quelques biscuits au chocolat, et une vieille couverture de laine, tout au fond. C'est tout!

Enveloppé dans la couverture, Petit Douillet grignote lentement une moitié de son sandwich pour le faire durer. Il ose à peine bouger. Seuls ses yeux tournent à droite et à gauche, scrutant l'obscurité menaçante. Petit Douillet se fait attentif. Il sent qu'on l'épie. Mais qui est là? Petit Douillet ne voit rien dans le noir.

Autour de lui, les bruits de la nuit se lèvent. L'un après l'autre, Petit Douillet tente de les reconnaître pour se rassurer. Le vent se faufile entre les branches, froisse les feuilles, se gonfle et mugit près de lui.

—Frou! Frou! grogne le vent. Rentre chez toi, Petit Douillet.

Ce n'est que le vent, se dit Petit Douillet pour se rassurer. Le vent ne parle pas. Je me fais des idées. Courage! Presque tout de suite, une chouette hulule par-dessus le vent au sommet du grand pin.

—Hou! Hou! gronde la chouette. La nuit de la Rivière-aux-Mystères n'est pas pour les petits garçons.

Ce n'est qu'une chouette, se dit Petit Douillet, s'obligeant à garder son sang-froid. Le cri de la chouette surprend et il dérange, c'est sûr. Mais Petit Douillet se répète qu'il est grand, maintenant, que les chouettes ne doivent plus l'effrayer. Mais, là!... Qu'est-ce que c'est que cette plainte déchirante? N'est-ce pas un loup?

—Ouâou! Ouâou! hurle le loup. Ne reste pas là, Petit Douillet. C'est dangereux pour toi ici.

Petit Douillet a peur. Il se bouche les oreilles pour ne plus entendre la nuit. Il voudrait y voir clair, maintenant. Ne plus avoir faim, ni froid, ni peur. Dire qu'il n'a même pas de quoi rallumer le feu!

Chapitre 4

Cybèle au Bois dormant, mademoiselle Je-sais-tout

Tout à coup Petit Douillet entend le bois craquer derrière lui. Il est pétrifié. Il n'ose plus bouger. Quelqu'un arrive! Petit Douillet tend l'oreille: crac! crac! C'est bien un bruit de pas. Petit Douillet se rappelle soudain de toutes les histoires de forêt qu'il a entendues: les ogres mangeurs d'enfants, les vilaines sorcières qui changent les princes en crapauds et endorment les princesses pour cent ans. Et si c'était un géant? Ou le grand méchant loup?

Lentement, sans faire de gestes brusques, Petit Douillet remonte la couverture sur sa tête. Il voudrait disparaître tout à fait. Le bruit des pas est maintenant tout proche. Il fait fritch! fritch! sur le sable. Petit Douillet cesse même de respirer.

— Salut! fait une voix jeune, douce et gentille. Je m'appelle Cybèle au Bois dormant, mais tout le monde m'appelle Cybèle aux Doigts d'argent, parce que je suis habile avec mes mains. Et toi, c'est quoi ton nom?

Petit Douillet sort la tête de la couverture. Il aperçoit une fille en salopette et bottillons, sac à dos sur l'épaule, bâton de marche à la main. Elle a tiré ses longs cheveux blonds en une queue de cheval et porte une casquette assortie à sa salopette. À son cou, au bout d'un long cordon, pend une boussole. Son majeur droit est presque entièrement recouvert par une chevalière, une bague d'homme à grosse pierre couleur prune. La fille a l'air d'avoir à peu près le même âge que lui.

Pour ne pas avoir l'air ridicule, Petit Douillet fait semblant de s'éveiller.

— Pardon? Qu'est-ce que tu dis?

Cybèle répète son nom et son explication. Tendant sa main baguée à Petit Douillet, elle ajoute qu'elle est la fille de la Belle au Bois dormant.

—Salut! Moi, c'est Petit Douillet.

—T'es le fils du Petit Poucet? Le véritable Poucet? Celui qui a réussi à vaincre l'ogre?

—Ouais... Comment tu sais ça?

—Je sais lire, voyons! J'ai lu l'histoire de ton père, comme tout le monde! Puis ma mère m'a tellement parlé de lui. C'est mon héros, ton père. J'ai plein d'admiration pour son courage et son intelligence.

—Ah oui? C'est vrai que son histoire est connue... C'est un homme célèbre, après tout.

—Oh! Il n'y a pas que lui, remarque. L'histoire de ma mère a aussi été très racontée.

—Vraiment?

—Tu ne l'as pas lue?

—Euh... non! Pas encore, je veux dire. Mais ça va venir. J'ai tout le temps, pas vrai?

—À mon avis, tu ferais mieux de te dépêcher. Ça va bientôt ne plus être de ton âge, ces histoires-là... Mais enfin!...

Cybèle dépose son sac à dos sur le sable. Elle s'assoit à côté, détache ses bottillons, retire ses chaussettes, allonge les jambes, et fait remuer ses orteils.

—Ah! Ça fait du bien de sortir de ses godasses... J'ai marché toute la journée, tu te rends compte? T'as mis beaucoup de temps pour arriver, toi? Moi, je suis partie dès le lever du soleil. Je ne pouvais plus tenir. J'avais tellement hâte! T'avais hâte, toi? Je trouve ça super! Enfin seule dans le bois! Pas d'adultes pour me dire quoi faire, comment faire, quand le faire... La paix! La grande paix!

Petit Douillet est surpris. Qu'est-ce que Cybèle raconte? Quoi? Elle rêvait de venir dans la forêt? Elle est malade, ou quoi, cette fille? Petit Douillet l'écoute parler, prudent. De toute façon, il n'a pas vraiment besoin de parler. C'est un vrai moulin à paroles, cette fille. Elle fait les questions et les réponses elle-même.

—Ça fait des années que j'en rêvais, mais avec ma mère, tu comprends... Je ne sais pas comment sont tes parents, toi. Moi, ma mère... Oh! elle est gentille, c'est pas ça, mais elle est... comment dire? Elle est...

Cybèle change de voix. Elle se lève d'un bond, puis se met à imiter sa mère avec de grands gestes de princesse délicate, à demi penchée sur Petit Douillet, avec une voix douce et grave d'adulte qui cherche à raisonner. Elle lui lance des: «Fais attention de ne pas salir ta belle robe!» Et des: «Oh! Ma pauvre enfant! Qu'as-tu fait à tes cheveux?» Et encore: «La forêt? Tu n'y penses pas! C'est plein de pièges, la forêt.» Et ensuite: «Moi, à ton âge, je ne courais pas dans tous les sens. Je me préparais pour le Prince charmant, ton père. Suis mon exemple. Fais comme moi. Comporte-toi raisonnablement, sois une vraie princesse.» Et aussi: «Nous avons tout ce qu'il faut pour toi au château, les meilleurs cuisiniers, les meilleurs couturiers, les meilleurs professeurs, et tout. Quand tu seras en âge de te marier, nous organiserons un grand bal. Tu pourras choisir toi-même ton prince. Ce n'est pas un bel avenir, ça?» Et enfin: «Je ne vois vraiment pas ce que tu irais chercher dans la forêt. C'est si dangereux, dehors. Et si sale. Et si plein de mauvaises surprises.»

— Bref, tu vois le genre, conclut Cybèle.

Elle se rassoit, massant ses orteils du bout des doigts, le regard au loin, les yeux pétillants.

— Franchement, tu trouves ça dangereux, toi, la forêt? Moi, je n'ai rien rencontré de toute la journée. Pas un ogre, pas une sorcière, pas le moindre petit géant de rien du tout. Même pas un crapaud, c'est tout dire! T'as eu plus de chance que moi, toi?

Petit Douillet pense au vent, à la chouette et au loup qu'il a entendus tout à l'heure. Comment expliquer à Cybèle qu'il était mort de peur juste avant qu'elle arrive? Elle a l'air si courageuse, Cybèle. Il aurait l'air idiot d'avouer, à une fille en plus, qu'il ne souhaite qu'une chose: rentrer au plus vite chez lui pour se sentir à l'abri. Non! Il a sa fierté, quand même. Il vaut bien mieux ne pas parler du loup.

— Je n'ai rien vu moi non plus.

— Tu vois bien. Nos mères ont toujours peur pour rien, pas vrai?

Petit Douillet pense au sac de cailloux blancs que sa mère lui a donné. C'est vrai qu'elle s'inquiétait pour lui, sa mère. Oh! comme elle lui manque en ce moment!

— Ouf! Je suis crevée, déclare Cybèle. Je ne pensais pas que la Rivière-aux-Mystères était si loin... Tiens! Ton feu s'est éteint.

— Ouais... Il a dû s'éteindre pendant que je dormais, bougonne Petit Douillet qui n'a pas envie de raconter ce qui s'est passé.

— À mon avis, ça fait longtemps qu'il est éteint, ce feu. Les cendres sont complètement refroidies. Va chercher du bois, je vais le rallumer.

Le ton sur lequel elle a dit ça! Cette fille ne va quand même pas commencer à lui donner des ordres! Petit Douillet décide de résister. Il ira chercher du bois mort seulement si ça lui chante. Sans bouger, il observe Cybèle pendant qu'elle déballe ses affaires. Elle est tout équipée: sac de couchage, gamelles, ustensiles, allumettes, couteaux, hachette, corde, toile. À voir cela, on la croirait partie pour une grande expédition. Cybèle va puiser de l'eau à la rivière et revient poser sa casserole.

— Alors, ce feu, lance-t-elle. On s'en occupe?

— C'est quoi, ça? demande Petit Douillet.

Cybèle le regarde avec étonnement. Petit Douillet montre le sachet qu'elle vient de tirer de son sac. Cybèle le soulève, pour s'assurer que c'est bien de cela qu'il parle.

— Ça? C'est de la soupe déshydratée.

— De la soupe?

— Eh bien oui, quoi. Tu n'as jamais

vu ça? Tu manges quoi, toi, pendant que tu es dans le bois?

Petit Douillet est pris au dépourvu par cette question. Elle a l'air si organisée, cette fille. Il se trouve dans le bois par hasard, lui; à cause de la méchanceté de son père; pas parce qu'il l'a décidé. Il n'a rien voulu de ce qui lui arrive. Il n'a pas eu le temps de se préparer, d'emporter des sachets de soupe déshydratée, des allumettes, des gamelles. Il va avoir l'air ridicule s'il avoue qu'il meurt de faim, qu'il ne sait même pas choisir le bois ni allumer un feu. Rien, il ne sait rien faire. Il est incapable de survivre seul dans la forêt.

—Bof! lance-t-il, avec l'air d'être au-dessus de ces affaires. Je mange ce que je trouve: des baies, des champignons, des œufs de caille.

Il regarde le feu éteint et pense à toutes les bonnes choses qu'il pourrait faire griller dessus, s'il s'était équipé: du poisson, du petit gibier. Le fumet des saucisses apprêtées par son père à midi lui remonte aux narines. Son estomac crie: «J'ai faim! J'ai faim! Donne-moi à souper!»

— Je n'aime pas popoter, se défend-il. Je préfère le prêt-à-manger.

— Dis plutôt que tu ne sais ni allumer un feu ni cuisiner, se moque Cybèle.

Décidément, cette mademoiselle Je-sais-tout commence à lui tomber sur les nerfs. Il se lève brusquement, va chercher quelques branches dans le noir et les jette aux pieds de Cybèle.

— Voilà pour ton feu, grogne-t-il. Maintenant, laisse-moi dormir. J'ai une grosse journée demain.

Petit Douillet s'emmitoufle dans sa couverture et fait semblant de dormir. Il est furieux contre cette fille et ses grands airs. Mais en même temps, il n'est pas fâché d'avoir quelqu'un à côté de lui pour la nuit. Depuis que Cybèle est arrivée, il ne fait plus attention au vent, à la chouette ni au loup. Petit Douillet est bien obligé d'admettre que la présence de Cybèle le rassure.

À travers ses paupières entrouvertes, il la regarde faire. Elle a l'air

de savoir s'y prendre. Petit Douillet lui
envie sa dextérité. Cybèle allume le
feu, fait bouillir l'eau, y verse le con-
tenu du sachet de soupe déshydratée
en une pluie fine. Tandis que la soupe
mijote, elle étend une couverture sur
le sable, puis son sac de couchage par-
dessus. Ses gestes sont précis. Aucun
n'est inutile. Cybèle semble sûre d'elle.
Elle porte bien son surnom, songe-t-il:
Cybèle aux Doigts d'argent. Petit
Douillet aimerait bien posséder cette
assurance.

L'arôme de la soupe se répand. De la bonne soupe au poulet et aux légumes semble-t-il. Petit Douillet a les larmes au bord des cils tellement il a faim, et cette soupe sent si bon! Mais il ne bougera pas. Il ne s'humiliera pas devant cette fille. Non! Il ne lui demandera certainement pas à manger.

— Tu dors? demande Cybèle.

— Qu'est-ce que tu veux, encore? réplique Petit Douillet. Il te manque du bois pour faire cuire le dessert?

— Tu m'en veux, hein? Faut pas t'en faire. Il paraît que je n'ai pas le ton.

— Tu n'as pas quoi?

— Le ton! Le ton sur lequel je parle. Il paraît que j'ai toujours l'air de donner des ordres quand je demande un service. Faut pas m'en vouloir. C'est pas méchant… Tiens, prends un bol de soupe. Ça va te changer des baies et des œufs de caille.

Chapitre 5

Ils disent toujours la même chose: «Je fais ça pour ton bien, mon fils»

Finalement, la soirée se passe bien. La soupe de Cybèle apaise l'estomac de Petit Douillet. Le feu les tient bien au chaud et empêche le grand méchant loup de leur rendre visite. La lune éclaire loin sur la rivière, si bien que Petit Douillet ne craint plus l'obscurité. Et puis Cybèle passe la nuit au campement de la Rivière-aux-Mystères. Petit Douillet n'est plus seul. Même si demain ils doivent se séparer, ce n'est pas grave. Pour le moment, ce qui compte, c'est de ne pas être seul.

Cybèle et lui parlent longuement avant de s'endormir. Elle raconte encore et encore comme elle a presque dû se battre avec la Belle au Bois dormant pour obtenir enfin l'autorisation de partir. Cybèle explique comment elle s'est préparée. Elle a lu tous les livres qu'elle a pu trouver sur la forêt et sur les animaux qui y habitent. Tous les contes de fées pour connaître les vilaines créatures vivant dans les bois et se prémunir contre leurs ruses. Elle s'est équipée aussi des outils nécessaires à sa survie, à son confort. Il y avait si longtemps qu'elle rêvait de se débrouiller toute seule!

À la longue, pressé de questions par Cybèle, Petit Douillet finit par avouer que c'est tout le contraire pour lui. Il ne voulait pas venir dans la forêt. Il raconte comment son père l'y a forcé.

— C'est dommage, déplore Cybèle. Si tu avais accepté l'aventure au lieu de te battre contre ton père, tu aurais pu te préparer comme je l'ai fait.

Petit Douillet reconnaît qu'il y a du

vrai dans ses propos. Toutefois, il continue à ne pas comprendre pourquoi on oblige les enfants à affronter les méchantes créatures de la forêt.

— C'est sinistre! C'est ignoble! C'est cruel! s'indigne Petit Douillet.

— Mais c'est la vie! s'exclame Cybèle, le visage rayonnant d'enthousiasme.

— Pour toi, peut-être! Pour moi, la vie, c'est rêver...

Il lui parle alors de son vœu, du pays où les enfants pourraient rêver et jouer.

* * *

Au petit matin, la plage a perdu son aspect inquiétant. La Rivière-aux-Mystères a repris son visage de la veille, l'air accueillant qu'elle avait quand Petit Douillet y a débarqué avec son père.

Cybèle partage son déjeuner avec Petit Douillet. Ils mangent des tartines à la confiture et boivent du lait. Après le repas, en jouant un peu avec sa bague comme si elle était embarrassée, Cybèle rappelle à Petit Douillet son engagement de la veille.

—Tu sais que nous devons nous séparer, n'est-ce pas? Il y a trop longtemps que je me suis promis de faire cette expérience seule. Je ne peux pas partir avec toi. Ça va aller?

—Mais oui! répond Petit Douillet, d'un air un peu trop dégagé. Je vais me débrouiller.

Au fond de lui, il tremble de peur à l'idée de se retrouver seul dans cette satanée forêt. Mais il ne veut pas avoir l'air d'une mauviette devant Cybèle.

Tout en ramassant ses affaires, Cybèle donne à Petit Douillet des conseils utiles pour la suite de son séjour. Elle lui explique comment allumer un feu, tendre un piège à petit gibier, monter un lit de branchages et quelques techniques de premiers soins. Elle lui dévoile surtout quelques-unes des astuces qu'elle a mises au point pour déjouer les créatures maléfiques de la forêt. Cependant, Petit Douillet commence à se sentir agacé. Il trouve

Cybèle bien prétentieuse avec ses conseils. Il n'aime pas du tout se faire faire la leçon par mademoiselle Je-sais-tout.

—Ça va, ça va, lance-t-il, impatient. De toute façon, je ne vais pas traîner longtemps par ici, moi. Je rentre directement à la maison.

—Et comment vas-tu t'y prendre pour retrouver ton chemin? demande Cybèle sur un ton de maîtresse d'école ayant décidé de coincer le cancre de la classe qui n'a pas appris sa leçon.

—Je n'aurai pas besoin de retrouver mon chemin, affirme fièrement Petit Douillet. Je vais pêcher un poisson d'argent.

—Un poisson d'argent!

—Parfaitement, mademoiselle! Et je n'aurai qu'à souhaiter rentrer chez moi pour me retrouver aussitôt dans mon hamac!

—Un poisson d'argent! se moque Cybèle. Mais ça n'existe même pas, les poissons d'argent. C'est une légende!

—Une légende...

—Parfaitement, monsieur! Une légende: un récit, un conte, une fable, un mythe! Une histoire inventée, quoi! C'est de la fiction. Ça n'existe pas pour de vrai.

— C'est même pas vrai ce que tu dis là!

— Si tu ne me crois pas, tu n'as qu'à les pêcher, tes poissons d'argent. Mais je te préviens, tu risques d'être encore ici dans cent ans! Et cent ans, c'est long. Je te prie de me croire. On sait ce que ça représente, cent ans, dans ma famille.

Petit Douillet est encore une fois furieux contre Cybèle. Décidément, cette fille a le don de le mettre en boule. Comment peut-elle affirmer que les poissons d'argent sont une légende quand son père, le Petit Poucet, vient à la pêche aux poissons d'argent tous les ans? Il ne peut tout de même pas lui avoir menti! Son père ne vient quand même pas pêcher chaque année des poissons qui n'existent pas!

— Cesse de bouder, dit Cybèle en souriant. Oublie ces poissons d'argent. Tu devrais plutôt essayer de vaincre tes peurs. Explore la forêt. Tu vas voir! C'est merveilleux d'affronter la vraie vie.

Petit Douillet hausse les épaules. Il décide de tenter tout de même sa chance avec les poissons d'argent. Il ramasse son épuisette. C'est à ce moment-là qu'il aperçoit le billet laissé par son père. Il l'avait complètement oublié, celui-là. Tout à coup, il a très envie de savoir ce que son père lui a écrit. S'il lui avait donné un indice pour retrouver la maison? Ou un rendez-vous, pas trop loin d'ici?

Mais comment s'y prendre pour demander à Cybèle de lui lire ce mot? Il y réfléchit pendant quelques secondes, tandis qu'elle enfile son sac à dos sur ses épaules. Comme elle lui tend la main pour lui dire au revoir, il demande:

— Dis donc, tu pourrais me rendre un dernier service avant de partir? Mon père m'a laissé ça, hier, mais je n'ai pas mes lunettes...

— Ne me dis pas que tu ne sais pas

lire non plus! Mon pauvre Doudou! Qu'est-ce qu'on va faire de toi?

Doudou! Elle l'a appelé «pauvre Doudou»! Petit Douillet est rouge de colère. Il a les oreilles en feu. Il reprend le billet qu'il lui avait tendu.

—Je n'ai pas dit que je ne sais pas lire! rétorque Petit Douillet. J'ai dit que je n'ai pas mes lunettes.

Cybèle ne se laisse pas impressionner. Elle reprend le billet des mains de Petit Douillet en souriant.

—Oui, bon. Voyons ça. C'est écrit: «Ne cherche pas tes cailloux. Je les ai ramassés. Je fais ça pour ton bien. Un jour tu me remercieras. En attendant, souviens-toi bien de ceci: grand pied a bon nez, long nez a grande gueule, grande gueule est vorace.» Et c'est signé: «Petit Poucet».

—Il a ramassé mes cailloux! s'écrie Petit Douillet, atterré.

Cybèle fait un drôle de geste au-dessus du billet avec la main qui porte la chevalière, puis elle le rend à Petit Douillet.

—À mon avis, fait remarquer

Cybèle, ce n'était pas très malin d'utiliser les cailloux avec ton père. C'est lui qui l'a inventé, ce truc. Tu penses bien qu'il n'allait pas se faire avoir avec ça.

— Je ne t'ai pas demandé ton avis.

— Quant au reste du message, tu y comprends quelque chose, toi?

— Rien du tout.

— À mon avis, c'est un code.

Tout excitée à l'idée de décoder le texte, Cybèle reprend le papier à Petit Douillet et le relit attentivement.

— Un code, tu sais comment ça marche, au moins? Ce qu'il faut, tu vois, c'est comprendre à quoi chaque élément renvoie. Prenons ce «grand pied», par exemple...

Petit Douillet n'en revient pas! Cybèle prend de grands airs, elle fait l'importante, elle joue encore une fois à la mademoiselle Je-sais-tout. Il enrage. C'est son billet à lui. Il lui a juste demandé de le lire, ce texte, après tout. Elle n'a pas à chercher à le comprendre... et encore moins à le lui expliquer! Il fulmine, rouge de colère. Il lui arrache le papier des mains.

—Non mais, ça va pas? Je suis capable de comprendre tout seul.

—T'as raison. Excuse-moi. Bon, eh bien... salut! Je te souhaite sincèrement bonne chance, Petit Douillet. Et fais gaffe! La chasse aux enfants ouvre aujourd'hui.

—La chasse aux enfants...

—Seigneur! Ne me dis pas que tu ne sais pas ça non plus? Mais d'où est-ce que tu sors, toi? C'est la période de l'année où les ogres et les sorcières ont le droit d'attraper les enfants. Ça va grouiller de créatures maléfiques dans la forêt. C'est excitant, non?

—Je sais très bien ce que c'est que la chasse aux enfants. J'avais juste oublié... C'est déjà septembre?

—Eh oui! Fini, les vacances. Bon! Cette fois, ça y est. Faut vraiment que j'y aille.

Chapitre 6

Grand pied a bon nez

Cybèle partie, Petit Douillet ne fait ni une ni deux. Il empoigne son épuisette et avance dans l'eau jusqu'à l'aine. Il n'y a qu'une solution s'il veut rentrer chez lui: attraper un poisson d'argent.

Cela fait maintenant des heures qu'il pêche. Son épuisette a ramené des écrevisses, des vairons, des coquillages... mais pas l'ombre d'un poisson d'argent. Même au gros soleil de midi, Petit Douillet n'a pas vu la moindre écaille se refléter dans l'eau. Toute la journée, il a pêché, attentif au moindre mouvement dans le lit de la Rivière-aux-Mystères. En vain. Écrasé de fatigue, de nouveau affamé, Petit

Douillet commence à croire ce que Cybèle lui a dit à propos des légendes.

L'après-midi s'achève. Le soleil commence à décliner derrière les grands pins dans un coude de la rivière. Petit Douillet sent à ce moment-là un ressort se briser en lui. Avec le coucher du soleil, son espoir s'éteint. Aucun poisson d'argent ne viendra le tirer de là. Petit Douillet se rend bien compte qu'il ne peut compter que sur lui-même pour rentrer à la maison.

Sortant de l'eau à pas brusques, Petit Douillet s'assoit sous un pin. Il jette à la Rivière-aux-Mystères un regard mauvais, comme si elle l'avait trahi. Que va-t-il faire à présent? Il songe au message de son père: «Grand pied a bon nez, long nez a grande gueule, grande gueule est vorace.» Qu'est-ce que ça peut bien vouloir dire? Il a fait le malin, ce matin, avec Cybèle, parce qu'elle l'énervait avec ses grands airs. Mais dans le fond, il n'y comprend rien à ce message. Jamais son père ne lui a parlé comme ça, en faisant des mystères.

La nuit tombe maintenant. Il n'a plus le temps de remonter le sentier pour chercher le chemin qui le mènerait à la maison. Il serait plus sage de s'installer pour la nuit. Il faudrait cueillir quelques baies, tendre un piège pour attraper du petit gibier, ramasser du bois pour le feu, installer une paillasse.

Petit Douillet regrette de ne pas avoir suivi Cybèle ce matin. Il aurait dû se cacher, marcher sur ses traces, à une centaine de pas derrière elle. Cybèle sait mieux que lui comment s'orienter dans la forêt, comment se nourrir et même comment déjouer les vilaines créatures qui s'attaquent aux enfants. Il n'aurait eu qu'à faire comme elle. Tandis que là... Il est trop tard désormais. Elle doit être bien loin, Cybèle, à l'heure qu'il est...

Tout à coup, la terre se met à trembler. Petit Douillet lève la tête, regarde de tous les côtés, cherche à comprendre ce qui se passe. Ce n'est pas un tremblement de terre ordinaire. Ça fait boum! boum! On dirait des coups de massue ou... des pas! Boum! Boum! Boum! Des pas lourds et lents, des pas gigantesques qui écrasent les arbres dans un craquement terrible.

—Un géant! s'exclame Petit Douillet. Ce doit être un géant ou un ogre!

Petit Douillet ramasse ses affaires et court se camoufler dans les hautes herbes. Juste comme il s'accroupit derrière les joncs, un homme, grand et noueux comme un chêne centenaire, débouche du sentier. L'Ogre avance lentement sur la plage. Ses pieds sont immenses; on dirait des rochers menaçants. Il projette l'une après l'autre ses jambes lourdes et raides comme des billots. Tous ses muscles se gonflent sous l'effort. Chacun de ses bras a la longueur et le volume du corps de Petit Douillet. Une veine grosse comme un tuyau de lavabo palpite sous la peau de sa tempe gauche. L'Ogre a le sourcil broussailleux, le regard avide de l'aigle et une énorme verrue noire sur le nez. Un bouquet de poils hirsutes sort de ses narines caverneuses. Il avance avec un sourire mauvais où il manque des dents. «Ce type est pire que le pire de mes cauchemars», se dit Petit Douillet en tremblant dans les roseaux.

Il a raison de trembler, Petit Douillet, car l'Ogre approche. Il renifle l'endroit où Cybèle et lui ont dormi la nuit précédente. De son gros doigt boudiné, l'Ogre remue les cendres.

—Ça sent la chair fraîche par ici!

Ces mots sont claironnés haut et fort. La voix de l'Ogre gronde si fort qu'un nuage de sable se soulève. Des vagues s'élèvent dangereusement sur la Rivière-aux-Mystères.

—Des enfants! se réjouit l'Ogre. Sniff! Sniff! Des beaux enfants! Il était temps! J'avais faim, moi.

L'Ogre frotte ses paumes l'une contre l'autre et passe à plusieurs reprises une langue râpeuse sur ses lèvres charnues. Il regarde à droite et à gauche, avec un œil gourmand et un sourire d'ivrogne à qui l'on tend une bouteille. Finalement, il remonte légèrement les jambes de sa salopette crasseuse et il s'accroupit. Il se penche vers l'avant, appuie ses mains sur le sol et parvient enfin à se mettre à quatre pattes. La manœuvre semble difficile. L'Ogre est tellement gros qu'il paraît tout empêtré. Le plus petit geste a l'air de lui coûter des efforts considérables.

L'Ogre colle son nez au sol et renifle.

—Voyons, voyons... Ils sont deux. Sniff! Un gros garçon dodu et une fille délicatement parfumée. Ahhh! Je salive rien qu'à y penser.

Dans les roseaux, Petit Douillet se raidit. Comment? L'Ogre est capable de les reconnaître rien qu'à l'odeur? Petit Douillet devient soudain très inquiet. Il veut bien essayer de ne pas bouger, bien qu'il n'ait qu'une idée en tête: prendre ses jambes à son cou et fuir. Il veut bien se retenir de parler, de pleurer, de crier, même s'il a très envie de hurler de peur. Seulement, comment s'empêcher de transpirer quand on a peur? Il semble à Petit Douillet qu'il n'a jamais transpiré aussi fort. L'Ogre va le trouver, c'est certain!

Toujours à quatre pattes, l'Ogre se déplace lentement sur la plage. Comme un chien, il flaire de-ci de-là les traces de Cybèle et de Petit Douillet. Sa voix gronde et soulève des nuées sablonneuses qui s'éparpillent sur la plage et étouffent Petit Douillet.

—Ah! rugit l'Ogre. Le garçon ne doit pas être loin. Ses traces sont toutes fraîches.

Dans les hautes herbes, Petit Douillet essaie de se faire tout petit. Il ravale un sanglot. «Jamais je ne pourrai échapper à un nez pareil!» se dit-il en guettant l'Ogre qui approche de sa cachette. «Il faut que je fasse quelque chose! Ah! Si au moins j'avais les bottes de sept lieues!» Mais Petit Douillet n'a pas les bottes de sept lieues et l'Ogre n'est plus qu'à quelques pas de lui à présent.

—Coucou! Petit garçon, es-tu là?

Petit Douillet est blanc comme neige. Ses dents se mettent à claquer

et tous ses membres tremblent. Petit Douillet se sent faiblir.

—Montre-toi, grogne l'Ogre d'une voix qui se voudrait doucereuse. Je ne veux pas te faire de mal.

Petit Douillet songe qu'il aurait besoin d'un miracle maintenant pour échapper à ce monstre. Le gros nez verruqueux de l'Ogre n'est plus qu'à quelques centimètres de lui. Sniff! Sniff!

—Ah! Je te tiens! triomphe l'Ogre. Tu t'es caché dans les hautes herbes.

En entendant cela, Petit Douillet a tellement peur qu'il s'enfuie à toutes jambes. Il court, s'enfonce dans la forêt sans regarder où il va. Heureusement pour lui, l'Ogre est lourd et empoté. Il a du mal à se relever. Petit Douillet parvient à lui échapper... pour cette fois.

Chapitre 7

Long nez a grande gueule

Petit Douillet court pendant long-temps. Très longtemps, lui semble-t-il. Il n'ose pas regarder derrière lui pour voir si l'Ogre le suit. À vrai dire, il ne regarde pas vraiment devant lui non plus pour voir où il va. Les branches des arbres lui fouettent le visage, les bras, et les jambes. Il trébuche à plusieurs reprises sur les racines et les troncs morts. Chaque fois, il se relève d'un bond et reprend sa course sans perdre une minute. Il ne pense qu'à une chose: mettre le plus de distance possible entre ce monstre dévoreur d'enfants et lui.

Il fait noir maintenant. La nuit est plus terrible en forêt que sur la plage de la Rivière-aux-Mystères. «Là-bas au moins, songe Petit Douillet, la lune éclairait mon campement.» Ici le faîte des arbres bouche entièrement le ciel. La nuit est compacte, d'une obscurité profonde comme jamais Petit Douillet n'en a vu. Il fait tellement noir qu'il est obligé de courir les bras tendus devant lui pour éviter de se cogner le front contre le tronc des arbres.

Petit Douillet est à bout de souffle. Son cœur martèle à grands coups dans ses oreilles. Il a l'impression que sa tête va exploser. Épuisé, il se laisse tomber au pied d'un chêne. Il cherche à se rassurer. Il doit avoir réussi à semer l'Ogre, car il n'entend plus ses pas lourds ébranler la forêt.

Pourtant, Petit Douillet ne se sent pas encore en sécurité. Cette forêt cache mille dangers. Il doit demeurer sur ses gardes. Ce vilain Ogre pourrait encore venir le surprendre. Petit Douillet risque aussi de voir surgir à tout moment devant lui des créatures malfaisantes. La forêt grouille de lutins malicieux, de sorcières aux doigts crochus, d'esprits follets, de fantômes, de géants, de gnomes et de mauvaises fées qui ne cherchent qu'à le piéger. Il y a aussi les milliers de chauves-souris, de vers luisants, de guêpes, de limaces, d'araignées, de vipères, de crapauds, d'ours mal léchés, de pies voleuses, de loups-garous et de grands méchants loups dont il faut se méfier. Sans compter les baies empoisonnées, les champignons vénéneux, les plantes toxiques, les arbres ensorcelés, les cavernes sans fond, les trappes creusées dans les sentiers et recouvertes de branchages, les nasses qui tombent des arbres et vous attrapent. Cette forêt cache des dangers de toutes sortes. Non, vraiment, Petit Douillet ne se sent pas en sécurité ici.

De plus, il est complètement égaré maintenant. Il ne sait pas où sa course l'a mené. S'est-il rapproché de chez lui ou s'en est-il éloigné? A-t-il tourné en rond sans s'en apercevoir? S'il continue à marcher dans cette direction, va-t-il aller se jeter tout droit dans les bras de l'Ogre? Il fait si noir. Petit

Douillet a faim. Il a froid. Il a peur des dangers que recèle la forêt.

Petit Douillet réfléchit. Il repense au message de son père: «Grand pied a bon nez, long nez a grande gueule, grande gueule est vorace.» Il croit comprendre enfin la première partie du message. «Grand pied a bon nez», cela lui semble évident maintenant. Son père a fait allusion à l'Ogre avec ses grands pieds. Il l'a averti de se méfier du formidable odorat de l'Ogre. Mais que peut bien vouloir dire «long nez a grande gueule, grande gueule est vorace»? Petit Douillet a beau réfléchir, il ne trouve pas de réponse à cette énigme pour l'instant.

La nuit est complètement tombée maintenant. Petit Douillet se trouve en fâcheuse posture. Le voilà perdu dans la forêt, une forêt remplie d'êtres sauvages et cruels pour les enfants, et de nuit par surcroît. Que va-t-il faire?

Tout à coup, il a une idée! Il doit absolument se souvenir des histoires que sa mère lui a contées. Dans ces histoires, les héros parviennent toujours à s'en sortir. Qu'est-ce qu'ils font quand ils se perdent dans la forêt? Petit Douillet n'a pas de bonne fée pour marraine, il ne peut donc pas compter sur l'aide d'une bonne fée. Il ne possède pas non plus d'anneau magique ni d'épée enchantée. Il n'a pas de talent particulier, comme de courir aussi vite que les trains, ou la ruse ou une intelligence exceptionnelle. Il n'est même pas spécialement courageux...

«Je suis ordinaire, moi, se désespère Petit Douillet. Jamais je n'arriverai à m'en sortir tout seul!»

Petit Douillet pense soudain à son père. Est-ce qu'il était comme lui quand il était enfant? À quoi le Petit Poucet a-t-il bien pu penser quand il s'est retrouvé perdu dans la forêt avec ses frères? Qu'est-ce qu'il a fait pour retrouver son chemin, quand il s'est aperçu que ses miettes de pain avaient disparu? Ah oui! C'est cela! Il a grimpé au sommet du plus grand arbre pour voir s'il apercevrait une lumière au loin.

Petit Douillet ne fait ni une ni deux. Il grimpe au sommet du grand chêne. Il regarde de tous bords, tous côtés. Il ne voit rien d'abord. Puis, le vent agitant les branchages, il aperçoit un tout petit point lumineux à l'horizon. Ce point scintille faiblement. Il semble très lointain. «Ça ne fait rien! songe Petit Douillet. Mieux vaut une présence lointaine que rien du tout!»

Toutefois, Petit Douillet se retient de s'élancer vers cette lueur d'espoir. Il se rappelle que cette lumière avait conduit son père directement à la maison de l'Ogre. Petit Douillet scrute longuement la forêt du haut de l'arbre. Il aimerait bien trouver un bouquet de points lumineux laissant deviner un village. Seulement il n'y a rien de tel aussi loin que porte son regard. Cette lumière semble être son seul espoir. Peut-être ne s'agit-il pas de la maison de l'Ogre, après tout? Si c'était le château de la Belle au Bois dormant? Ou, mieux encore, la chaumière de ses parents?

Petit Douillet descend de l'arbre. Il décide de marcher malgré tout en direction de la lumière. Seulement, il sera prudent. Il veille à faire le moins de bruit possible. Il tend l'oreille, attentif au moindre son suspect. Il examine le sentier pour éviter les trappes. Petit Douillet se méfie de tout.

Tout à coup, il y a un craquement sur sa gauche. Petit Douillet se cache vite derrière un arbre pour ne pas être surpris. Peine perdue. Presque aussitôt, un loup se dresse devant lui.

— Où vas-tu comme ça en pleine nuit, petit garçon? demande le Loup en susurrant.

Petit Douillet sait qu'il ne doit pas parler aux loups. Il se rappelle trop bien la mésaventure du Petit Chaperon rouge, celle des trois petits cochons et celle aussi des sept biquets. Pourtant, c'est plus fort que lui. Peut-être pourra-t-il arracher au Loup un renseignement sur l'endroit où il se trouve? Petit Douillet se râcle la gorge. De sa voix la plus claire et la moins tremblotante, il répond au Loup par une autre question.

— Eh bien! monsieur le Loup, où croyez-vous que je m'en vais?

Le Loup s'approche, rôde autour de lui, le flaire, puis regarde à droite et à gauche comme pour se faire une idée de la situation. Au bout d'un moment, il se dresse, sûr de lui et affirme:

— Si tu espères rejoindre la chaumière dont tu as aperçu la lumière depuis le faîte du grand chêne, mon garçon, sache que tu te diriges tout droit vers la maison de l'Ogre.

Petit Douillet reçoit comme un coup de poing la déclaration du Loup. Si le Loup sait qu'il a grimpé dans le chêne, c'est qu'il l'épiait depuis un bon moment. Il décide d'essayer de lui donner le change.

— Je ne sais pas de quelle lumière ni de quelle maison vous parlez. Je me promenais tout simplement pour profiter de cette belle nuit étoilée.

— Dans la forêt? s'étonne le Loup, pointant le museau en l'air dans un bâillement. Je comprends que tu sois

obligé de grimper aux arbres si tu
veux voir les étoiles!

Suivant le regard du Loup, Petit
Douillet se rend compte qu'il vient de
commettre une erreur. On ne va pas
dans une forêt pour observer les
étoiles. Surtout pas dans cette forêt si
touffue où les arbres bouchent
complètement le ciel! Il n'a pas le
temps d'inventer une autre excuse. Le
Loup reprend aussitôt la parole.

—Je comprends... tu te méfies de
moi. Tu as raison.

—Raison? interroge Petit Douillet, surpris que le Loup lui concède si facilement ce point.

—On fait une si mauvaise réputation aux loups! Et puis, la chasse aux enfants est ouverte. C'est normal que tu sois prudent. Pourtant, quand je te dis que tu te diriges droit vers la maison de l'Ogre, tu dois me croire. Je connais bien la forêt. En tout cas, bien mieux que toi!

—Voyons! Si tu connais si bien la forêt, dis-moi où se trouve le château de la Belle au Bois dormant, ruse Petit Douillet.

—Tu veux me mettre à l'épreuve? Soit! Le château de Cybèle (puisque c'est elle qui t'intéresse au fond, et pas sa mère), eh bien! il se trouve par là, vers le nord. Tu n'as qu'à te fier à la mousse sur les arbres pour te guider.

Le cœur de Petit Douillet se met à battre rapidement. Enfin, de l'espoir. Il n'a qu'à repérer la mousse sur les arbres pour sortir de cette forêt terrifiante. Il décide de tenter le tout pour le tout.

— Je suppose que tu sais aussi où se trouve celle du Petit Poucet?

—Juste à côté, bien entendu. Les jardins se touchent. Tu ne le sais pas, évidemment. Tu ne t'es jamais aventuré jusqu'au bout du parc, Petit Douillet.

Petit Douillet est estomaqué! Le Loup connaît son nom. Il lui apprend même que Cybèle est sa voisine!

—Puisque nous y sommes, poursuit le Loup, tu tournes à présent le dos à la chaumière des Sept Nains. Une marche de vingt minutes dans cette direction et tu y es! En continuant tout droit, tu finiras par arriver dans le village où habitent Hänsel et Gretel. Par contre, je ne te conseille pas d'aller par là, fait le Loup en pointant la patte vers l'ouest. Tu tomberais sur la maison de la sorcière Soupe-au-Lait avant de parvenir au château de Cendrillon. C'est risqué. Si tu traverses la Rivière-aux-Mystères, c'est chez Barbe-Bleue que tu vas débarquer. De là, à deux heures de marche plus à l'est, c'est la maison du Petit

Chaperon rouge... Tu veux que je continue ou ça te suffit comme ça?

—Si je comprends bien, réplique Petit Douillet, entre ma maison et ici se trouve la maison de l'Ogre. Comment se fait-il alors que je ne l'aie pas vue en venant?

—Parce que tu étais sur les épaules de ton père et qu'il avait chaussé ses bottes de sept lieues, gros bêta. À cette vitesse-là, on ne voit pas grand-chose.

Petit Douillet doit admettre que le Loup a raison. Par ailleurs, il lui faut demeurer prudent. Ce Loup en sait beaucoup trop sur son compte.

—Donc, pour rentrer chez moi, conclut Petit Douillet, je suis dans la bonne direction.

—Si tu veux rentrer chez toi, il te faut en effet passer par la maison de l'Ogre, confirme le Loup. Je peux t'accompagner, si tu veux. Je te protégerai contre lui.

—C'est ça! répond Petit Douillet. Et après, tu me mangeras.

—Si j'avais voulu te manger, il y a longtemps que ce serait fait! finasse le Loup.

Chapitre 8

Poudre de tarabiscotin
et venin de serpent

Finalement, Petit Douillet s'est laissé convaincre. Le Loup l'aidera à traverser la zone critique où habite l'Ogre. Petit Douillet sait que le Loup n'est pas tout à fait désintéressé. Il l'a attentivement examiné, tout à l'heure, tandis qu'il parlait. Ce loup a un museau vraiment très fin et très long. Ce museau pourrait bien être le «long nez» dont a parlé son père dans son message. «Long nez a grande gueule», dit le message. Les grandes gueules sont des gens bavards, se souvient Petit Douillet. Ils parlent beaucoup. Il doit donc se méfier des paroles du Loup.

Petit Douillet a décidé de ne pas s'en faire pour le moment. Le Loup représente malgré tout son assurance de passer devant la maison de l'Ogre sans être inquiété. Petit Douillet décide cependant de rester sur ses gardes. Il trouvera bien un moyen d'échapper au Loup plus tard.

Tournant résolument le dos à la Rivière-aux-Mystères, Petit Douillet et le Loup ont marché toute la nuit côte à côte. Ils ont progressé rapidement. Le Loup connaît bien la forêt et sait dépister tous ses pièges. Par trois fois, il a épargné à Petit Douillet la désagréable surprise de s'enfoncer dans des trappes habilement camouflées. Et d'un coup de patte, il a renvoyé dans ses fougères une vipère qui allait s'attaquer au talon de Petit Douillet. «Jamais je ne m'en serais sorti tout seul», songe Petit Douillet en se félicitant de sa décision.

Pourtant, quand le soleil se lève, fatigué par sa longue nuit de marche, Petit Douillet hésite encore à se reposer comme le lui propose le Loup. Il craint trop de se faire dévorer ou de se faire jouer quelque mauvais tour pendant son sommeil.

— Je dormirai quand je serai chez moi, répond-il sagement au Loup.

— Tant pis pour toi, répond le Loup.

À midi, cependant, ce n'est plus la même histoire. Petit Douillet est totalement épuisé. Ses yeux se ferment tout seuls. Ses jambes flageolent. Sa chair est meurtrie par les innombrables blessures que lui ont infligées les branches. Il a l'estomac dans les talons. Il lui faudrait se reposer, panser ses plaies, reprendre des forces. Mais Petit Douillet n'a pas assez confiance en ce Loup pour s'arrêter. D'ailleurs, il commence à se demander si le Loup ne le fait pas tout simplement tourner en rond pour mieux l'épuiser.

Tout à coup, au détour d'un rocher, le Loup fait signe à Petit Douillet de se cacher et de ne faire aucun bruit.

— La sorcière est dans le coin, explique-t-il. Je flaire son odeur acide.

En effet, à dix mètres de là, Petit Douillet aperçoit une vieille femme au nez crochu qui avance vers eux à pas comptés. La sorcière s'arrête à tout moment, donne de petits coups de baguette magique çà et là, puis repart en jurant. Visiblement, elle est de fort mauvaise humeur. Arrivée à la hauteur du rocher, elle touche un crapaud en prononçant une formule magique.

—Abracadabri, abracadabra... Petit crapaud, écoute-moi. À trois, en chat te changeras. Tranche d'ananas et foie de poulet, c'est Soupe-au-Lait qui te l'ordonne. Un... deux... trois!

À trois, le petit crapaud fait un bond immense et file se cacher dans les buissons. La sorcière enrage.

—Ahhh! Sacré bout de bois! marmonne la sorcière. Depuis que j'ai trouvé cette fille, plus rien ne fonctionne.

Petit Douillet demeure bien caché derrière son rocher. Il observe cette vieille femme criarde et échevelée, ridée comme le tronc d'un vieux chêne. Sa bouche édentée déchire son visage

dans une incroyable grimace d'une oreille à l'autre. Ses mains griffues sont pleines de verrues et de touffes de poils noirs. Petit Douillet n'y peut rien, une femme comme ça, ça lui donne la chair de poule. Le Loup sort de sa cachette et apostrophe la sorcière en rigolant.

— Eh bien! Qu'est-ce qui ne va pas, Soupe-au-Lait? On dirait que ta baguette magique te joue de mauvais tours?

— Ne m'en parle pas, sacré bout de bois de taillette! Tout va mal!

— Ça ne peut pas aller si mal que ça, voyons. Tu exagères sûrement...

— Ah! Tu crois ça? Ma baguette magique a autant de pouvoir qu'un vulgaire rouleau à pâtisserie. Ma poudre de tarabiscotin, qui change d'habitude les rêves en cauchemars, fait tomber des pluies d'étoiles filantes qui émerveillent les enfants. Mon venin de serpent, qui est censé tuer net, guérit toutes les maladies. Et le joyau de ma collection, ce qui faisait ma fierté, ma grandeur, ma renommée...

—Tu veux parler de ta potion magique?

—Oui, hélas! Ma merveilleuse potion magique, qui change les princes en crapauds...

—Eh bien?

—Elle rend les princes encore plus beaux et plus riches!

—Non!!!

—Oui!!! C'est le monde à l'envers. Je suis condamnée à faire le bien.

—Évidemment, c'est fâcheux! admet le Loup. Où va-t-on si des sorcières aussi futées que toi ne peuvent même plus jeter de sorts!

—En pleine saison de chasse aux enfants, en plus. C'est-y pas malheureux! déplore la sorcière en donnant un coup de baguette magique sur une feuille de thé des bois. Tiens! Regarde-moi ça. Avant, d'un simple coup de baguette magique, je changeais le thé des bois en un bouquet de vers de terre bien gras et bien grouillants. Maintenant, pffffit, rien!

—En effet, c'est déplorable! Les vers de terre, c'est si charmant, fait le

Loup tournant la tête pour que la sorcière ne voie pas qu'il se pince le museau. Tandis que ce thé des bois, là franchement, ça pue...

— Tu trouves, toi aussi, n'est-ce pas? Ah! La peste soit de cette enfant!

— Mais de quelle enfant parles-tu donc, à la fin?

— Oh! Une petite peste qui n'aurait jamais dû croiser mon chemin.

Il faut dire que le Loup adore les petites filles. Bien sûr, depuis la mésaventure de son cousin avec le Petit Chaperon rouge, il se méfie d'elles — surtout s'il y a des bûcherons dans les parages. Mais les petites filles, c'est connu, ont la chair bien plus tendre que celle des garçons. Les petites filles font attention à elles. Elles engraissent adorablement en jouant à la poupée. Tandis que les garçons, hélas, se durcissent les muscles avec tous les sports qu'ils pratiquent. Ils sont très coriaces sous la dent. Mais les petites filles, elles, sont un vrai régal: elles fondent dans la bouche. «Ah! songe le Loup. Si je pouvais échanger à la sorcière sa petite fille contre mon Petit Douillet!»

— Mais, dis-moi, demande le Loup, où est cette petite fille dont je t'entends te plaindre depuis tout à l'heure?

— Elle t'intéresse? demande la sorcière, flairant tout à coup une occasion de se débarrasser de l'enfant.

— Ça se pourrait, finasse le Loup. Je suis surtout curieux de savoir comment elle s'y est prise pour t'enlever tes pouvoirs... Les enfants, c'est connu, sont sans défense contre nous.

— Eh bien! celle-là n'est pas comme les autres, il faut croire!

— C'est une fée?

— Pas que je sache! C'est la petite du Bois dormant.

«La petite du Bois dormant! songe le Loup qui convoite Cybèle depuis très longtemps. Du vrai gâteau à la crème, cette enfant! Sa mère l'a donc enfin laissée venir en forêt? Quelle aubaine que Soupe-au-Lait se soit emparée d'elle. Quelle aubaine, surtout, d'avoir rencontré Soupe-au-Lait!» Il doit absolument trouver un moyen de faire l'échange.

«Cybèle est aux mains de la sorcière! songe Petit Douillet, toujours caché derrière son rocher. Elle est bien bonne, celle-là! Elle qui se croyait si forte, qui s'était si bien préparée pour son escapade en forêt! Elle s'est quand même laissé prendre.»

—Et... où est-elle? demande le Loup. On peut la voir, cette enfant prodige?

—Si tu veux la voir, tu dois m'offrir quelque chose en échange.

—J'ai ce qu'il te faut, assure le Loup, en baissant la voix pour que Petit Douillet ne l'entende pas. Dis-moi où se trouve la belle enfant, et je te l'échange contre un beau gros garçon bien dodu.

Chapitre 9

Grande gueule est vorace

La vieille Soupe-au-Lait est repartie toute seule de son côté. Le Loup l'a laissée s'éloigner quelque peu, puis il a fait signe à Petit Douillet de sortir de sa cachette. Ils ont repris leur chemin comme si de rien n'était. Au bout d'un moment, le Loup s'inquiète du silence de Petit Douillet:

— Tu as entendu, demande-t-il, à propos de la petite Cybèle?

— La vieille chipie la tient prisonnière, hein, c'est ça? s'esclaffe Petit Douillet.

Le Loup est un peu surpris. Il ne s'attendait pas à ce que Petit Douillet trouve cela drôle. Vexé, il lance d'une voix catastrophée:

— Je crois bien qu'elle a l'intention d'en faire son souper!

À son grand étonnement, Petit Douillet ne se démonte pas.

— Oh! Je ne suis pas inquiet pour Cybèle! Cette Soupe-au-Lait n'est pas près d'en faire du bouillon.

— «Cette Soupe-au-Lait», comme tu dis, est une sacrée sorcière! On voit bien que tu ne la connais pas. Elle n'est pas encore née, la petite fille qui va lui tenir tête, crois-moi. Nous ferions mieux de nous occuper de ton amie, si tu tiens à la revoir vivante...

Petit Douillet hésite. Il est encore bien tôt pour appeler Cybèle «son amie». «Cette fille n'est qu'une petite tête enflée, une mademoiselle Je-sais-tout! Ah! Elle doit déchanter, maintenant qu'elle est aux mains de la sorcière! Voilà qui lui servira de leçon», pense Petit Douillet. Et puis, Petit Douillet se doute bien que le Loup a manigancé quelque chose avec la sorcière. Cette histoire, n'est-ce pas un piège que le Loup lui tend? Tout à l'heure, derrière son rocher, il s'est promis d'être vigilant et de ne pas croire tout ce que le Loup lui dirait.

—Elle est assez intelligente et elle est forte avec ça. Qu'elle se débrouille toute seule, s'entête Petit Douillet.

Le Loup ne s'attendait pas à cela. Normalement, n'écoutant que son courage, Petit Douillet aurait dû se porter au secours de Cybèle et la délivrer de la sorcière. C'est comme cela que font les garçons depuis la nuit des temps! Pour tout dire, la réaction de Petit Douillet ne fait pas du tout son affaire. Il comptait sur son désir de sauver Cybèle pour attirer Petit Douillet chez la sorcière. Il va falloir trouver autre chose. En attendant, il s'agit de ne pas perdre la confiance du garçon. Aussi le Loup ruse-t-il.

—Comme tu voudras! dit-il. Dans le fond, j'aime mieux cela. Ça nous évite le détour chez la sorcière, qui nous aurait bien demandé une demi-journée! Nous serons ainsi plus vite arrivés chez toi.

Un doute écorche le cœur de Petit Douillet. Et si le Loup ne mentait pas?

Si Cybèle était vraiment en mauvaise posture cette fois? Le message de son père ne dit-il pas «grande gueule est vorace»? Si cette «grande gueule» était la sorcière? Le Loup pourrait bien être sérieux quand il prétend qu'elle va faire de Cybèle son souper. Cybèle a beau être une mademoiselle Je-sais-tout... elle lui est venue en aide quand il en avait besoin. Bon, d'accord, elle lui a fait la leçon. Mais est-ce une raison pour qu'il la laisse aux prises avec cette Soupe-au-Lait de malheur? Ce ne serait pas correct de sa part. Non, vraiment, plus il y pense, plus il est obligé d'admettre qu'il n'y a pas trente-six solutions: c'est à son tour d'aider Cybèle. Il doit absolument trouver un moyen de la sortir de là. Seulement entre un ogre, un loup et une sorcière, ça ne va pas être facile, craint Petit Douillet. Cela va deman-der beaucoup d'astuce, d'imagination et de prudence.

— À quoi tu penses? demande-t-il au Loup au bout d'un quart d'heure.

— Moi? répond évasivement le

Loup qui ne pense qu'au moyen d'attirer Petit Douillet chez la sorcière. Moi? À rien... Et toi?

—Moi, je pense à Cybèle. C'est si loin, chez la sorcière?

Le Loup se sent tout ragaillardi. Petit Douillet a l'air de vouloir changer d'idée! Il s'agit de ne pas laisser filer cette occasion.

—Loin? répond le Loup. Mais pas du tout!

—Tu as dit «une demi-journée», tout à l'heure...

Le Loup cherche quelque chose à dire, bafouille un peu, puis se reprend.

—C'est parce que je comptais large, voilà tout! Le temps de nous y rendre, de repérer ton amie, d'observer la situation, de mettre au point notre stratégie, de la délivrer, tout... Pourquoi?

—Je me dis que ce ne serait pas chic de la laisser là.

Le Loup ne se le fait pas dire deux fois. Il passe sa patte autour des épaules de Petit Douillet et lui joue la grande scène de la fierté paternelle.

—Voilà qui est parler en homme, mon garçon. Je suis fier de toi!

En une demi-heure, ils sont chez la sorcière.

—Halte! s'écrie le Loup. N'allons pas plus loin. Soupe-au-Lait pourrait nous surprendre. Nous devons d'abord mettre au point notre stratégie.

Caché dans les fougères, Petit Douillet écoute distraitement le Loup. Sachant la sorcière dans les parages, Petit Douillet se méfie davantage. Il craint les arrangements du Loup avec Soupe-au-Lait. Il observe les lieux pour se faire par lui-même une idée de la situation.

Petit Douillet n'a jamais compris pour quelle raison, avec leurs pouvoirs magiques, les sorcières ne se bâtissent pas des châteaux immenses, en marbre rose et vert, avec des tourelles, des ponts-levis, de grands jardins pleins de bassins, de crapauds et tout... Comme ses collègues sorcières, Soupe-au-Lait préfère la cabane en bois au château somptueux. Cette cabane, il faut la voir: c'est tout tordu et branlant, c'est noirci par le temps, c'est rafistolé à la va-comme-je-te-pousse. Il manque des carreaux aux fenêtres et des bardeaux au toit. La cheminée s'incline dangereusement vers la lucarne et crache ses étincelles dans les branches. Un chat noir s'étire dans une boîte à fleurs où il ne pousse que des mauvaises herbes et des champignons douteux. Partout, des toiles d'araignées s'accrochent aux vêtements, aux cheveux, aux membres de qui les frôle. Sur une corde à linge sèchent des peaux de castor, de vison et de serpent. Derrière la maison, au milieu d'une courette grande comme la main, deux cages emprisonnent l'une des poules noires, l'autre des crapauds. À côté, une montagne de détritus attire les mouches. Devant, face à l'unique porte, une marmite en fonte, grosse comme un évier, calcine sur un bûcher. Dedans, un liquide visqueux et verdâtre bouillonne mollement, répandant une odeur fétide autour de la maison. Il ne manque au tableau que les chauves-souris. Il est sans doute trop tôt. Petit Douillet est certain qu'elles sortent du grenier sitôt la nuit tombée.

C'est en levant les yeux vers le sommet des arbres pour surprendre les chauves-souris que Petit Douillet aperçoit Cybèle. Pieds et poings liés, un bâillon sur la bouche, elle est emprisonnée dans un filet, au sommet d'un grand érable. Le problème se pose tout de suite, difficile. Comment va-t-il pouvoir grimper jusque-là? De quelle façon délivrer Cybèle sans se faire remarquer du Loup ni de Soupe-au-Lait?

Petit Douillet jette un coup d'œil au Loup qui continue à deviser sur la manière de s'y prendre. Il n'a pas l'air d'avoir aperçu Cybèle, lui. Petit Douillet décide de ne pas lui parler de sa découverte. Au bout d'un moment, ils conviennent que le Loup ira seul au-devant de la sorcière.

— Si elle t'aperçoit, elle voudra te manger aussi, tu comprends, affirme le Loup. Les sorcières raffolent des petits garçons.

Le Loup propose que Petit Douillet reste caché dans les fougères jusqu'à ce qu'il lui fasse signe. Le Loup inventera un prétexte pour attirer la sorcière dehors et, dès qu'il en aura l'occasion, il la précipitera dans la grande marmite. Ils pourront alors, en toute tranquillité, chercher Cybèle et la délivrer.

—Ce plan te convient-il? demande le Loup.

Petit Douillet réfléchit. Pendant que le Loup sera dans la maison avec la sorcière, il n'aura qu'à courir délivrer Cybèle. Ils décideront ensuite ensemble de ce qu'ils feront du Loup et de Soupe-au-Lait.

—Ça me va, répond Petit Douillet.

«Parfait! Parfait! se dit le Loup en courant vers la maison. Tandis qu'il m'attend dans les broussailles, je vais conclure mon échange avec la sorcière.»

Sitôt le Loup parti, Petit Douillet contourne la maison de la sorcière à travers bois. Au pied de l'érable, il attire l'attention de Cybèle.

— Hé! Cybèle! C'est moi!

Cybèle lui fait signe de la tête de se cacher.

— Il y a un truc pour te faire descendre? demande Petit Douillet.

Cybèle lui indique de ses poings liés le tronc d'un arbre voisin. Petit Douillet va voir ce que c'est. Dans les hautes herbes au pied de l'arbre, la sorcière a camouflé un système de poulies. Petit Douillet s'apprête à faire descendre le filet quand il entend Cybèle pousser de petits cris étouffés à travers le bâillon. Elle lui fait signe du menton: la sorcière et le Loup sortent de la maison.

Petit Douillet s'empresse de grimper à l'arbre. Il serait bien imprudent de se faire attraper aussi. De là-haut, il aperçoit le Loup en grande discussion avec la sorcière. «Ces deux-là ont l'air de drôlement bien s'entendre, se dit Petit Douillet. J'ai bien fait de me méfier du Loup.»

Comme pour lui prouver qu'il a eu raison, le Loup entraîne Soupe-au-Lait droit vers la cachette où Petit Douillet devait se trouver. «Ah! Le salaud! Il m'a vendu à la sorcière!» réalise Petit Douillet, indigné.

Sautant d'une branche à l'autre, Petit Douillet parvient jusqu'au filet où se trouve Cybèle. À l'aide du canif qu'elle lui a offert sur la plage de la Rivière-aux-Mystères, il parvient à ouvrir une brèche assez grande dans le filet pour rejoindre Cybèle. Il lui délie les mains et les pieds, la délivre de son bâillon. Il était temps! En bas, la sorcière et le Loup sont furieux.

—Je lui avais pourtant dit de rester caché ici! hurle le Loup.

—Avoue que tu as cherché à me tromper, traître! vocifère la sorcière.

—Dis-moi vite où tu as caché Cybèle, vieille folle. C'est le seul moyen de les retrouver avant qu'ils ne nous échappent tout à fait.

—Plutôt mourir, chenapan! Si tu penses que tu vas m'avoir si facilement, tu te trompes.

—Je te dis qu'il est avec elle!

—Pouah! Tu mens!

Seulement, la sorcière a un doute.

Elle dirige son regard vers l'érable pour s'assurer que Cybèle est encore dans son filet. Elle trouve le filet vide. Elle entre dans une fureur terrifiante! Jamais le Loup n'a vu ça. Soupe-au-Lait hurle, se griffe le visage, secoue les arbres, martèle le sol de ses bottillons crottés. Rien ne l'apaise. Elle renverse les cages. Aussitôt, les poules noires et les crapauds s'éparpillent dans la cour en ajoutant leurs cris à ceux de la vieille femme. Le Loup et la sorcière s'injurient. Ils s'accusent mutuellement d'avoir voulu rouler l'autre. Mais ni leurs recherches ni leur colère ne mènent à grand-chose. Il n'y a pas plus de Cybèle dans le filet que de Petit Douillet dans les fougères. Furieuse, la sorcière court derrière le Loup pour lui donner des coups de canne.

— Tu n'es qu'un vaurien, un voleur, un bandit! jappe la sorcière.

— Et toi, une vieille chipie! râle le Loup.

— Saleté de Loup!

— Emmerdeuse de première!

— Horrible sac à poils mité!

— Je n'ai rien fait, moi! Pourquoi tu me cries après comme ça?

— Non seulement tu ne veux pas me donner ce qui m'est dû, mais en plus tu m'as volé mon bien!

— Je n'ai rien pris!

— Rends-moi cette petite, tu m'entends?

— Je ne sais pas où elle est!

— Rends-la-moi tout de suite!

— Ce doit être ce garnement de Petit Douillet qui l'a délivrée!

— Menteur! Il n'existe même pas, ton Petit Douillet!

— Si seulement tu te calmais, on pourrait encore les retrouver. C'est ce qu'on veut, non? Les retrouver TOUS LES DEUX!

— Me calmer, tu dis! crache la sorcière, reprenant son souffle.

— Oui, c'est ça, lance le Loup, conciliant.

— Tu veux que je me calme! répète malicieusement la sorcière.

— Oui, comme ça, doucement, encourage le Loup.

— COMMENT VEUX-TU QUE JE ME CALME, jette tout à coup avec fureur la sorcière, QUAND TU VIENS ME PRENDRE MON SOUPER!

De branche en branche, se faisant le plus discrets possible, Cybèle et Petit Douillet s'éloignent de la maison de la sorcière.

Chapitre 10

Un vœu pour l'amitié

Quand ils se sentent assez éloignés, Cybèle et Petit Douillet quittent les branchages et sautent dans le sentier.

— On les a bien eus! s'écrie Petit Douillet, tout fier d'avoir échappé au Loup et à Soupe-au-Lait.

— Tu as été très courageux! remercie Cybèle. Je crois bien que je n'ai jamais eu aussi peur de ma vie.

Petit Douillet n'en revient pas. Il ne s'attendait pas à cet aveu de la part d'une mademoiselle Je-sais-tout. Cybèle lui apparaît du coup plus sympathique.

— Tu as eu peur pour de vrai?

— J'ai bien cru que j'allais être mangée! Ça m'a complètement enlevé le goût de la forêt, si tu veux tout savoir. Je suis bien mieux dans mon laboratoire.

— Tu vois bien que j'avais raison!

— Allons! J'ai hâte de rentrer chez moi, soupire Cybèle en consultant sa boussole.

Tout à coup, le sol se met à trembler, les arbres à ployer. Un terrible BOUM! BOUM! provient de la forêt, s'approche d'eux progressivement, à un rythme lancinant.

— Qu'est-ce que c'est que ça encore? s'inquiète Cybèle.

— Ça, dit Petit Douillet en tremblant, c'est le pas de l'Ogre, j'en ai bien peur...

— Oh! Mon Dieu! Un ogre? Et je n'ai même plus ma flûte enchantée!

— Ta quoi?

— Une flûte que j'ai inventée pour ensorceler les ogres. La sorcière m'a tout enlevé. Je n'ai plus rien.

— En tout cas, inutile de se cacher. Il sent tout, cet imbécile. Hier, il m'a repéré dans les hautes herbes rien qu'à l'odeur.

—Mais c'est affreux! On ne peut pas se cacher de lui, c'est ça que tu veux dire?

—C'était ça le sens du message de mon père: «Grand pied a bon nez.» Ça voulait dire de se méfier de l'odorat de l'Ogre. Il va falloir trouver autre chose, et vite!

—T'as raison! Son nez, c'est notre seule chance.

Laissant Petit Douillet éberlué, Cybèle se précipite sur un tas de pierres qu'elle trouve dans le boisé. L'une après l'autre, elle les soulève, puis les repose par terre. Petit Douillet, qui ne comprend pas ce qu'elle fait, la regarde, intrigué. Pendant ce temps, les pas se rapprochent dangereusement.

—Viens m'aider au lieu de rester planté là comme un rutabaga!

—Mais qu'est-ce que tu fais? interroge Petit Douillet.

—Je cherche... Ah! J'ai trouvé!

Cybèle se relève, tenant par la peau du cou une mouffette qu'elle vient de tirer de son terrier.

— Touche pas à ça, pauvre idiote! Elle va t'arroser!

— C'est exactement ce que je veux! déclare Cybèle, toute fière de son idée. Et si tu veux échapper à l'Ogre, t'as intérêt à te faire arroser aussi!

— Oh! non! Je jure que, si jamais je sors d'ici vivant, on ne me reverra plus de ma vie remettre un pied dans la forêt!

* * *

Une fois copieusement arrosés, Cybèle et Petit Douillet se cachent derrière un rocher. À peine sont-ils à l'abri, l'Ogre s'arrête à leur hauteur. Il a l'air épuisé. Il avance lentement, le teint blême, la langue pendante. Avisant le rocher, il décide de prendre un moment de repos.

— Je ne sais pas de quoi sont faits les enfants cette année, maugrée l'Ogre, mais pas moyen d'en attraper un. Ils sont trop forts pour moi... Je dois vieillir! Ahhh! Je suis crevé... Je voudrais tellement rentrer chez moi! Mais qu'est-ce que mon ogresse va dire si je rentre de la chasse les mains vides? Tuttt! Tuttt! Tuttt! Je ne dois pas me laisser décourager. Un bon petit somme et ça ira mieux après. Pouah! Ça sent la mouffette par ici. Tant mieux. Personne ne viendra me déranger pendant ma sieste.

Là-dessus, l'Ogre s'endort au pied du rocher. Quand il est bien endormi, Cybèle et Petit Douillet sortent de leur cachette.

— Il faut absolument lui prendre ses bottes, décide Petit Douillet.

— Tu es malade? s'exclame Cybèle. On va le réveiller.

— Je veux ces bottes! C'est plus fort que nous, dans la famille, on a besoin des bottes de sept lieues.

— Franchement, ce n'est pas prudent.

— Tu n'as qu'à te tenir sur le rocher avec une grosse pierre dans les mains. Si le monstre se réveille, tu l'assommes. Vu?

— Oh! Comme tu voudras, mais fais vite. J'en ai assez, moi, des ogres et des sorcières.

—Et encore, tu n'as pas vraiment eu affaire au Loup!

Cybèle se tient sur le rocher, prête à assommer le géant. Petit Douillet retire ses bottes à l'Ogre sans même forcer vraiment. «C'est fait grand, les bottes de sept lieues», assure Petit Douillet. Tellement, même, qu'ils peuvent y entrer tous les deux, Cybèle et lui. Juste comme ils s'apprêtent à partir, l'Ogre agite ses narines et se réveille. Il aperçoit Cybèle et Petit Douillet qui le narguent dans le sentier.

—Ah! Queue de serpent! Des enfants!

—Attrape-nous si tu peux, vilain mangeur d'enfants! se moque Petit Douillet.

—Laisse tomber l'Ogre et cours! supplie Cybèle.

L'Ogre se lève d'un bond pour les attraper, mais il se cogne les orteils contre les cailloux! Arrêté dans son élan, il regarde ses pieds, tout surpris.

—Mes bottes! On m'a volé mes bottes de sept lieues! Ah! garnements! Attendez que je vous attrape!

L'Ogre a beau s'élancer vers eux et courir de toutes ses longues jambes, il est incapable de les rattraper. Il est trop lourd, trop empâté. D'ailleurs, grâce aux bottes de sept lieues, Cybèle et Petit Douillet sont bien plus rapides que lui!

* * *

En trois enjambées, Cybèle et Petit Douillet se retrouvent sur le croissant de plage de la Rivière-aux-Mystères. Petit Douillet s'arrête brusquement et «sort» des bottes de sept lieues.

— Qu'est-ce que tu fais? s'inquiète Cybèle.

— J'ai vu quelque chose briller dans la rivière.

Petit Douillet retire ses chaussettes et remonte les jambes de ses pantalons. Il ramasse l'épuisette qu'il avait abandonnée sur la plage dans sa fuite pour échapper à l'Ogre. Il avance lentement dans la rivière afin de ne pas brouiller le fond.

— C'est pas vrai! s'impatiente

Cybèle. Pas encore ton histoire de poissons d'argent!

—Chut! Tu vas lui faire peur.

—C'est un reflet de soleil que tu as vu. Les poissons d'argent, ça n'existe pas.

Petit Douillet ne répond pas. Le bras tendu, il tient son épuisette juste à fleur d'eau comme il a vu son père le faire. Il guette le fond de la rivière, là où il a aperçu quelque chose qui brillait. Il est fébrile comme un chat devant une souris.

—Vas-tu venir à la fin? Si tu ne te décides pas, je te préviens, je pars toute seule avec les bottes de sept lieues. Tu te débrouilleras comme tu pourras!

Ça y est! Il a vu quelque chose bouger. Petit Douillet abat fermement son épuisette et fouette l'eau d'un geste sûr et précis. Quand il relève le bras, un minuscule reflet d'argent s'agite au fond du filet. Il a réussi! Il a attrapé un poisson d'argent! Son père ne lui avait pas menti: les poissons d'argent existent. Seulement, il est bien petit, ce poisson... à peine plus gros que l'auriculaire de Petit Douillet. Si petit que Petit Douillet se demande si ce sera suffisant pour que son vœu se réalise.

Il a tant de choses à souhaiter, Petit Douillet. Quel vœu choisir? Rentrer chez lui? Avec les bottes de sept lieues, il n'a plus vraiment besoin de faire ce vœu. Il va rentrer chez lui en quelques enjambées. Un pays où les enfants ne grandissent pas et sont libres de rêver? Petit Douillet a un pincement au cœur. Ce serait bien, ce pays. Seulement c'est agréable aussi d'affronter des difficultés et de constater qu'on a les moyens de les vaincre. Son aventure dans la forêt lui a donné envie de prendre des risques, d'essayer des choses nouvelles. Quoi encore? Savoir lire sans avoir à l'apprendre? Ce serait gaspiller un vœu. Ça ne doit pas être si difficile d'apprendre à lire. Il lui faudra juste un peu de bonne volonté et d'effort. Non, il faut trouver autre chose. Petit Douillet pense à son père... Mais son père l'aime. Il l'a bien montré avec son message. À vrai dire, il ne l'a pas vraiment abandonné dans le bois. Il lui a donné la chance d'apprendre des choses sur lui-même. Non, il n'a pas besoin de souhaiter que son père l'aime davantage. L'amour de son père, il l'a déjà, même s'il ne s'en était pas encore aperçu. Alors quoi? Il n'aurait donc rien à souhaiter, finalement?

— Bon! s'écrie Cybèle dans un souffle exaspéré. Si tu veux poireauter dans l'eau jusqu'à ce que tous les ogres, les loups et les sorcières de la forêt nous tombent dessus, c'est ton affaire. Moi, à trois, je m'en vais!

Cybèle. Elle pourrait être une amie. Petit Douillet a toujours été tout seul. C'est ça! Il va souhaiter que Cybèle reste son amie. Pour toujours.

— Il faut être vraiment naïf pour s'imaginer que des poissons d'argent vont réaliser nos vœux, s'exclame Cybèle qui n'a pas vu le poisson d'argent dans l'épuisette de Petit Douillet. Il faudrait que tu apprennes à faire la part entre les rêves et la réalité, mon Doudou!

Doudou... Personne ne l'a jamais appelé comme ça. Ça fait un peu bébé, c'est sûr. En même temps, c'est doux, c'est tendre. Petit Douillet ferme les yeux et fait son vœu. Puis il rejette le poisson d'argent à l'eau.

—Bon! Tu l'auras voulu, décide Cybèle.

—Attends! J'arrive, dit Petit Douillet.

Seulement, il ne bouge pas. Il guette la surface de l'eau dans l'espoir de voir surgir un reflet d'argent. Tout à coup, le poisson émerge, vif comme l'éclair. On dirait une étoile filante.

—Un! menace Cybèle.

—Allez, encore un coup, supplie à voix basse Petit Douillet. T'es capable de faire mieux, petit poisson d'argent. Pour l'amitié.

Un peu plus loin, sur la gauche, le poisson d'argent semble répondre à la supplication de Petit Douillet. Il saute hors de l'eau pour la seconde fois.

— Deux! compte Cybèle. Je t'avertis, à trois, je pars.

Petit Douillet lève l'index pour lui faire signe d'attendre encore une minute. Et si le poisson d'argent disparaissait sans revenir à la surface? Il scrute la Rivière-aux-Mystères. Calculant la distance entre le premier et le deuxième saut, Petit Douillet tente d'évaluer où le poisson d'argent devrait normalement réapparaître. Ça commence à faire loin. Verra-t-il le reflet, à cette distance?

— Trois! crie Cybèle, furieuse que Petit Douillet ne prenne pas sa menace au sérieux.

Tout à coup, le poisson d'argent bondit hors de l'eau, juste devant Petit Douillet, comme pour lui dire: «Va! Ton vœu se réalisera.»

— Yahouuu! s'écrie Petit Douillet en se tournant vers Cybèle.

Cette dernière, prête à abandonner à regret Petit Douillet sur la plage de la Rivière-aux-Mystères, se retourne avec surprise.

— Ça va? demande-t-elle, inquiète.

— Yahouuu! Yahouuu! Yahouuu! fait Petit Douillet sortant de l'eau et sautillant sur la plage autour de Cybèle.

— T'es devenu fou ou quoi? Tu veux ameuter toute la racaille de la forêt?

— Ça a marché!

— Tu ne vas pas me faire croire que tu as attrapé un poisson d'argent?

— Oui, mademoiselle Je-sais-tout! Les poissons d'argent existent. Je viens d'en attraper un, affirme Petit Douillet, fier de lui et reprenant son souffle.

— T'as fait un vœu?

— Bien sûr!

— Et tu n'as pas souhaité qu'on soit à la maison immédiatement?

— De toute manière, on va y être dans quelques minutes grâce aux bottes de sept lieues. Inutile de gaspiller un vœu.

Petit Douillet essuie ses pieds et remet ses chaussettes. Cybèle se montre intéressée tout à coup par son histoire de poisson d'argent.

—Alors, qu'est-ce que tu as souhaité?

—Ah non! C'est un secret!

Petit Douillet vient rejoindre Cybèle dans les bottes de sept lieues. Cybèle passe les bras autour de sa taille pour garder l'équilibre.

—Oui, mais je suis ton amie... Tu peux me le dire, ton secret.

—Je te le dirai peut-être un jour, concède Petit Douillet. En attendant, nous ferions mieux de sortir d'ici. Tu es prête? On y va. Un, deux, trois!

* * *

Cybèle et Petit Douillet sont accueillis chaleureusement à leur retour, on s'en doute. La Belle au Bois dormant a failli s'évanouir en apercevant sa fille à l'orée de la forêt. Le Petit Poucet a versé une larme discrète et il a serré son fils dans ses bras avec fierté.

—Tu t'es comporté en homme, mon fils. Je suis fier de toi.

Petit Douillet pense au Loup qui lui

a dit la même chose. À ce moment-là, ça l'avait laissé indifférent. Maintenant, ce n'est pas pareil. On dirait que ça lui fait tout chaud en dedans d'entendre ça venant de son papa.

— Tu sais que tu es meilleur que moi? Je n'ai jamais réussi à attraper un poisson d'argent de toute ma vie. Alors que toi, hop, du premier coup!

Bien entendu, on organise une grande fête. Tous les gens du royaume sont invités. Tandis que les invités célèbrent l'événement par des chants, des danses et des feux d'artifice, Cybèle attire Petit Douillet dans son laboratoire.

— Regarde! dit-elle, en lui montrant sa bague.

— Tu te maries? interroge Petit Douillet, surpris.

— Mais non, gros bêta. Je suis trop jeune. Devine ce que c'est?

— Eh bien... une bague.

— Ah! mon Doudou, mon cher Doudou, que tu manques d'imagination!

— Ne m'appelle jamais Doudou devant les autres, tu veux bien? Ça fait bébé… Alors, c'est quoi cette bague si ce n'est pas une bague?

— C'est un appareil-photo!

— La bague? Sans blague!

— Rigole si tu veux, mais avec cette bague, sais-tu ce que j'ai photographié?

— Pas la moindre idée!

Cybèle se penche sur la table de son laboratoire. Elle éparpille une pile de photographies, cherchant quelque chose de précis. Pendant ce temps, Petit Douillet examine des clichés au hasard. Il y trouve des gros plans de toiles d'araignées, de chauves-souris; une plante inconnue, vraisemblablement carnivore, en train d'engloutir un mulot; des détails de l'intérieur d'une maison, probablement celle de Soupe-au-Lait; il reconnaît même un cliché du billet que lui avait écrit son père. Il se souvient que Cybèle avait fait un geste bizarre avant de le lui remettre. C'était donc ça! Elle le photographiait!

— Mais qu'est-ce que tu vas faire de toutes ces photos?

— Eh bien! C'est pour mes recherches. Et puis, si jamais je retourne
dans la forêt, je serai documentée. Je
suis une scientifique, moi... Ah! J'ai
trouvé. Regarde!

Petit Douillet prend la série de
reproductions que lui tend Cybèle. On
dirait des photographies de pages d'un
livre de recettes.

— C'est exactement ça! confirme
fièrement Cybèle. C'est le livre de
formules magiques de la sorcière!

— Nooon!!!

— Ouiii!!!

— Bien, et alors?

— As-tu la moindre idée de ce qu'on
peut faire avec ça? interroge Cybèle
les yeux brillants de malice.

— Tu n'as pas l'intention de t'en
servir, quand même!

— Bien, tiens! Je me gênerais!

FIN

Boréal Junior

1. Corneilles
2. Robots et Robots inc.
3. La Dompteuse de perruche
4. Simon-les-nuages
5. Zamboni
6. Le Mystère des Borgs aux oreilles vertes
7. Une araignée sur le nez
8. La Dompteuse de rêves
9. Le Chien saucisse et les Voleurs de diamants
10. Tante-Lo est partie
11. La Machine à beauté
12. Le Record de Philibert Dupont
13. Le Bestiaire d'Anaïs
14. La BD donne des boutons
15. Comment se débarrasser de Puce
16. Mission à l'eau
17. Des bleuets dans mes lunettes
18. Camy risque tout
19. Les parfums font du pétard
20. La Nuit de l'Halloween
21. Sa Majesté des gouttières

Typographie et mise en pages :
Les Éditions du Boréal

Achevé d'imprimer en mars 1994
sur les presses de l'Imprimerie Gagné
à Louiseville, Québec